APHIE, HISTOIRE ET ÉDUCATION À LA CITOYENNETÉ
E DU PRIMAIRE

2e ÉDITION

SIGNES DES TEMPS

CAHIER D'APPRENTISSAGE
3ᵉ
ANNÉE

D0178944

Chantale Samuel
Charles Vendette

LES ÉDITIONS
CEC

9001, boul. Louis-H.-La Fontaine, Anjou (Québec) Canada H1J 2C5
Téléphone : 514-351-6010 • Télécopieur : 514-351-3534

Direction de l'édition
Diane De Santis, 1re édition
Diane De Santis et Danielle Guy, 2e édition

Direction de la production
Danielle Latendresse

Direction de la coordination
Isabelle Rusin, 1re édition
Rodolphe Courcy, 2e édition

Charge de projet et révision linguistique
Nicole Beaugrand Champagne, 1re édition
SEDG, 2e édition

Rédaction et consultation scientifique, 2e édition
Maude Daniel, consultante en histoire, géographie et éducation à la citoyenneté auprès de plusieurs commissions scolaires et institutions scolaires

Conception et réalisation
Le groupe Flexidée, communicateur graphique, 1re édition
SEDG, 2e édition

Conception de la couverture, 2e édition
Dessine-moi un mouton

Cartographie
Les Studios Artifisme, 2e édition

Illustrations
Jocelyne Bouchard, Jacqueline Côté, Martin Goneau, Stéphane Jorish, Jacques Lamontagne, Luc Normandin, Jean-Luc Trudel

Avertissement aux enseignants et enseignantes concernant les sites Internet
Il est important de noter qu'avant l'impression de cet ouvrage, tous les sites Internet suggérés dans ce guide ont été soigneusement examinés afin de s'assurer que leur contenu soit directement en lien avec les éléments du programme d'études. Il se peut toutefois que des propriétaires de sites Internet ou des tierces personnes aient modifié l'adresse ou le contenu d'un site, de telle sorte qu'il ne corresponde plus à sa vocation initiale. Il est donc recommandé aux enseignants et enseignantes de vérifier attentivement tous les sites Internet avant d'en proposer la consultation aux élèves.

Crédits photographiques du Guide-corrigé
Couverture © Collection du Musée canadien des civilisations, constructeur principal : Cesar Newashish, Manouane (QC). 1971, MCC III-P-21, image no S96-24213.

Signes des temps – **Cahier d'apprentissage,
2e cycle du primaire, 3e année**
© 2011, Les Éditions CEC inc.
9001, boul. Louis-H.-La Fontaine
Anjou (Québec) H1J 2C5

Tous droits réservés. Il est interdit de reproduire, d'adapter ou de traduire l'ensemble ou toute partie de cet ouvrage sans l'autorisation écrite du propriétaire du copyright.

Dépôt légal : 2011
Dépôt légal : 2012 (Guide-corrigé, version clé USB, option A, avec activités TBI)
          (Guide-corrigé, version MaZoneCEC)
          (Guide-corrigé, version MaZoneCEC, option A, avec activités TBI)
Bibliothèque et Archives nationales du Québec
Bibliothèque et Archives Canada

ISBN 978-2-7617-3358-8 (Cahier d'apprentissage, 2e édition, 2011)
ISBN 978-2-7617-1812-7 (Cahier d'apprentissage, 1re édition, 2002)

Imprimé au Canada
5   6   7   8   9   18   17   16   15   14

TABLE DES MATIÈRES

UN VOYAGE DANS LE TEMPS

Cette année, nous entreprenons ensemble un voyage au cœur des sociétés amérindiennes. Les escales de ce cahier te feront découvrir le monde des Iroquoiens, des Algonquiens et des Incas à des moments précis de leur Histoire. Cette aventure sera ponctuée d'activités qui t'aideront à mieux connaître leur apport à notre société.

Ton cahier d'apprentissage *SIGNES DES TEMPS* comporte cinq Escales qui présentent les connaissances sur les sociétés que tu étudieras.

La démarche

Pour te guider, tu verras dans la marge les symboles ci-après. Ils correspondent aux trois étapes de la démarche d'apprentissage.

PRÉPARATION

Tu te questionneras sur ce que tu connais déjà.

RÉALISATION

Tu exploreras de nouvelles connaissances.

INTÉGRATION

Tu feras le point sur tes découvertes.

Un coup d'œil sur l'Escale

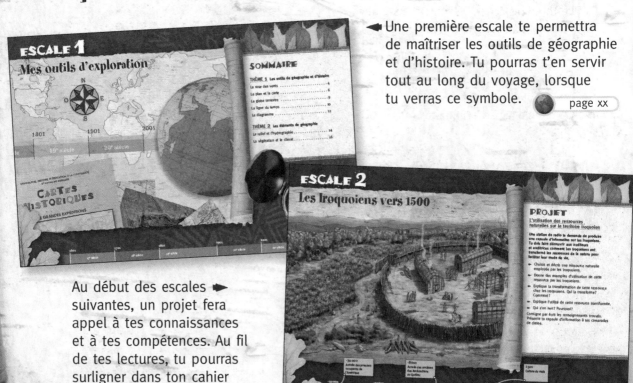

Une première escale te permettra de maîtriser les outils de géographie et d'histoire. Tu pourras t'en servir tout au long du voyage, lorsque tu verras ce symbole. page xx

Au début des escales ➡ suivantes, un projet fera appel à tes connaissances et à tes compétences. Au fil de tes lectures, tu pourras surligner dans ton cahier les éléments qui pourraient t'aider à le réaliser.

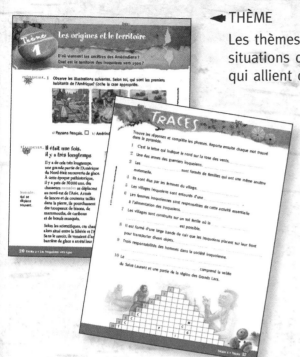

THÈME

Les thèmes de chaque escale te proposeront des situations d'apprentissage variées et stimulantes, qui allient connaissances et activités.

TRACES

À la fin de chaque escale, une fiche TRACES te permettra de faire la synthèse de tes découvertes.

Les rubriques

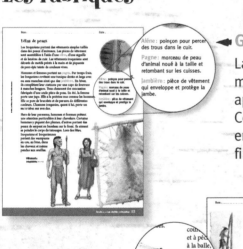

Glossaire

La définition de certains mots dans leur contexte apparaît dans la marge. Ces définitions sont reprises en ordre alphabétique à la fin de ton cahier.

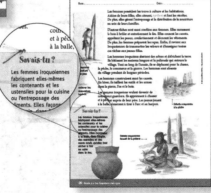

Savais-tu ?

Cette rubrique te propose des faits, des histoires et des compléments d'information.

Des ardoises complètent l'information et t'aident à faire des liens entre le passé et le présent.

Nous sommes maintenant prêts à voyager dans le temps.

Bon voyage,

Chantale et Charles

ESCALE 1

Mes outils d'exploration

N
O — E
S

	1801	1901	2001
cle	19ᵉ siècle	20ᵉ siècle	

GÉOGRAPHIE, HISTOIRE ET ÉDUCATION À LA CITOYENNETÉ
2ᵉ CYCLE DU PRIMAIRE

CARTES HISTORIQUES

S GRANDES EXPÉDITIONS

OCÉAN
ARCTIQUE

	1601	1701	1801
	17ᵉ siècle	18ᵉ siècle	19ᵉ

SOMMAIRE

Thème 1

Les outils de géographie et d'histoire

LA ROSE DES VENTS

Les Grecs utilisaient déjà la rose des vents il y a plus de 2000 ans. Les marins s'en servaient pour s'orienter sur la mer. Les branches de la rose des vents pointent la direction des vents. C'est très utile lorsque l'on navigue à voile !

Collatéral : à côté.

La rose des vents est une étoile qui indique les quatre points cardinaux : le nord, le sud, l'est et l'ouest. Entre ces points principaux se trouvent les points **collatéraux** : le nord-est, le sud-est, le nord-ouest et le sud-ouest.

Sur l'illustration plus haut, tu remarques que le soleil ne fait pas tout le tour de la rose des vents. Il se lève à l'est. À midi, il est au sud tout en haut du ciel. Le soir, il se couche à l'ouest. Tu ne le verras jamais au nord.

1 Pour bien se diriger, il est très important de connaître les points cardinaux. À toi de jouer!

a) Complète la rose des vents.

b) Colorie en jaune les points cardinaux.

c) Nomme le point cardinal opposé à l'ouest. ....

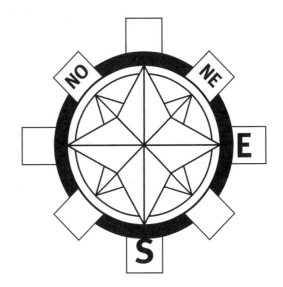

2 À l'aide du plan et de la rose des vents, encercle et nomme les lieux décrits.

a) L'édifice situé au nord-est de la bibliothèque. ....

b) Le commerce qui se trouve à l'ouest de la bibliothèque.

....

c) La rue qui traverse la ville du nord au sud. ....

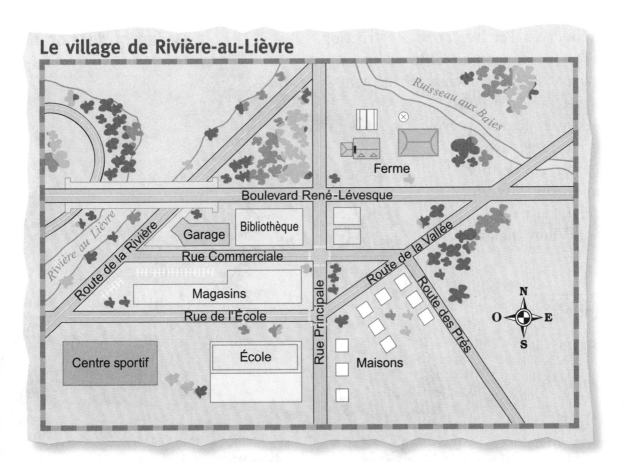

Le village de Rivière-au-Lièvre

LE PLAN ET LA CARTE

Le plan et la carte sont des outils qui permettent de repérer des endroits dans une ville, une région, un pays ou même dans le monde.

Carte routière de la région de Montréal

Le plan permet de représenter un petit espace géographique vu d'en haut : une construction, un quartier, un parc ou un jardin. Prenons l'exemple des spécialistes en aménagement paysager. À l'aide d'un plan, ces spécialistes peuvent prévoir l'emplacement des arbres, des arbustes, des fleurs et des sentiers sur le terrain. Regarde, tu peux déjà imaginer l'allure du jardin.

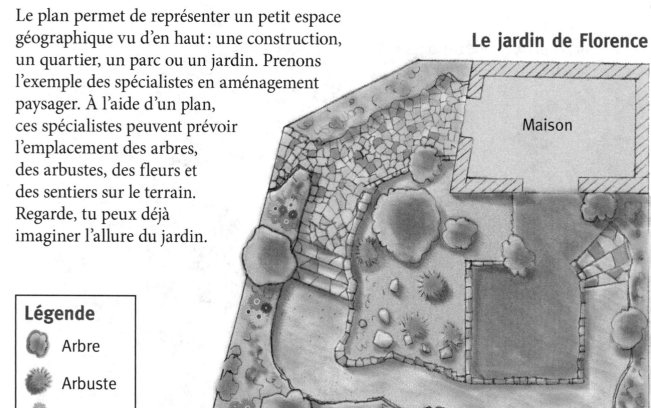

Le jardin de Florence

Maison

Légende

Arbre

Arbuste

Fleurs

Il existe toutes sortes de cartes qui représentent de grands espaces géographiques comme une région, un pays ou un continent. Les cartes fournissent une foule de renseignements. Observe comment les cartographes s'y prennent pour transmettre ces informations.

Atlas : livre qui regroupe une grande variété de cartes.

Les cartographes n'ont pas toujours l'espace voulu pour tout inscrire sur la carte. Ils utilisent alors des symboles ou des couleurs. Ils en font une liste avec de courtes explications et l'encadrent dans un des coins de la carte. C'est ce qu'on appelle la **légende**.

Les symboles peuvent avoir des significations différentes d'une carte à l'autre. Il est donc important de toujours bien lire la légende et le **titre** de la carte.

L'**échelle graphique** indique le rapport entre la distance sur la carte et la distance réelle sur le terrain. On la retrouve sur les plans et les cartes.

Les plans et les cartes peuvent être regroupés dans un **atlas** afin de faciliter la recherche.

Les climats de l'est du Canada

La carte historique montre le portrait d'une région à un moment du passé. Elle peut aussi illustrer des batailles, des voyages d'exploration ou des déplacements de populations.

Titre • Légende •

Les territoires algonquien et iroquoien vers 1500

Voici des cartes qui
indiquent la position
géographique du Canada
et du Québec.

1 Sur chacune des cartes,
trace le contour du
Canada en rouge
et colorie le Québec
en vert.

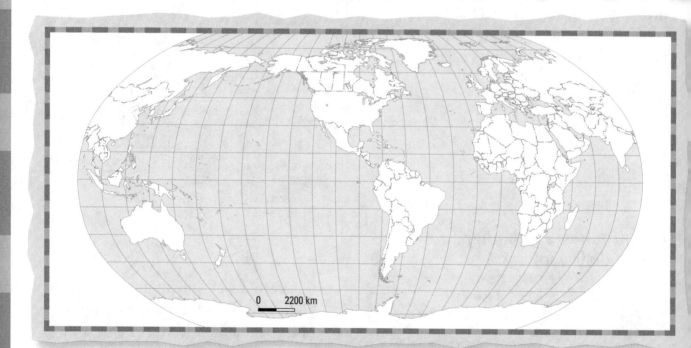

2 Complète les phrases à l'aide des mots suivants :

• **Amérique**   • **Canada**   • **monde**

a) Le Québec fait partie d'un pays nommé ....

b) Ce pays fait partie d'un immense continent : l' ....

c) Ce continent est l'une des grandes étendues de terre du ....

LE GLOBE TERRESTRE

Le globe terrestre est un modèle réduit de la planète. Comme la Terre, il a la forme d'une sphère. En réalité, notre planète n'est pas parfaitement ronde, car elle est légèrement aplatie aux pôles. Le globe terrestre permet d'examiner la forme ainsi que l'emplacement des continents et des océans.

L'équateur est une ligne imaginaire qui sépare la Terre en deux parties égales : l'hémisphère nord et l'hémisphère sud.

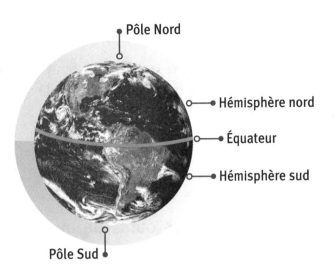

Pôle Nord

Hémisphère nord

Équateur

Hémisphère sud

Pôle Sud

Hémisphère : chacune des deux moitiés du globe terrestre, hémisphère nord et hémisphère sud.

1 Sur le globe terrestre ci-dessous, trace le contour du Canada en rouge et colorie le Québec en vert.

2 Dans quel hémisphère se situe le Canada? ....

3 Une partie de l'Amérique se situe dans l'hémisphère sud.

   a) Comment appelle-t-on cette partie de l'Amérique? ....

   b) Colorie cette partie de l'Amérique en jaune sur le globe.

4 D'après tes observations, le pôle Nord se trouve :

   Dans l'océan. ☐

   Sur le continent. ☐

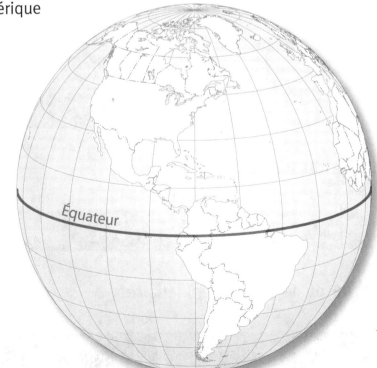

Équateur

LA LIGNE DU TEMPS

Le temps est une réalité que l'on ne peut ni voir ni toucher. Il existe cependant des outils qui permettent de le mesurer, de le calculer ou même de l'interpréter.

1 Quels sont ces outils? Fais une courte liste de ceux que tu connais.

Les outils de mesure du temps

....

....

....

Chronologique : classé selon les dates.

Décennie : période de dix ans.

Siècle : période de cent ans.

Millénaire : période de mille ans.

La ligne du temps sert à situer des événements selon un ordre **chronologique**. Comme une règle graduée est utile pour mesurer la distance entre deux objets, la ligne du temps permet de visualiser le temps écoulé entre deux événements. Elle est divisée en périodes de temps appelées «intervalles». Voici des exemples de lignes du temps.

Ligne du temps par décennies

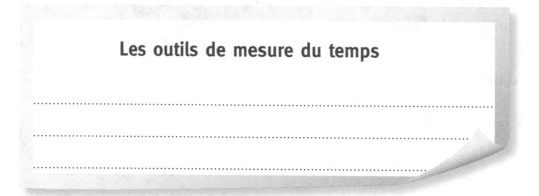

| 1981 | 1991 | 2001 | 2011 |
| décennie | décennie | décennie | |

Ligne du temps par siècles

| 1701 | 1801 | 1901 | 2001 | 2101 |
| 18e siècle | 19e siècle | 20e siècle | 21e siècle | |

Ligne du temps par millénaires

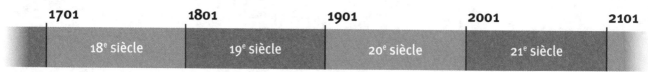

| 1 | 1001 | 2001 | 3001 |
| 1er millénaire | 2e millénaire | 3e millénaire | |

Les intervalles peuvent varier d'une ligne du temps à une autre.
Voici une ligne du temps graduée en heures. Elle représente
toute une journée.

2 **a)** Dans chacun des rectangles, inscris ce que tu fais
habituellement à 7 heures, à midi, à 16 heures et à 23 heures.

b) Relie les rectangles à la ligne du temps par un trait.

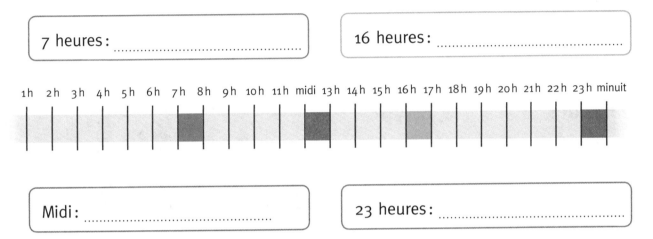

| 7 heures : .... | 16 heures : .... |

| Midi : .... | 23 heures : .... |

3 Découvre les grandes inventions des quatre derniers
siècles.

a) Observe le tableau ci-contre.

b) Inscris le nom de l'invention correspondant
à la date indiquée sur la ligne du temps.

Invention	Date
Lunette astronomique	1608
Machine à calculer	1671
Sous-marin	1775
Locomotive	1814
Téléphone	1876
Avion	1903
Télévision en couleur	1950

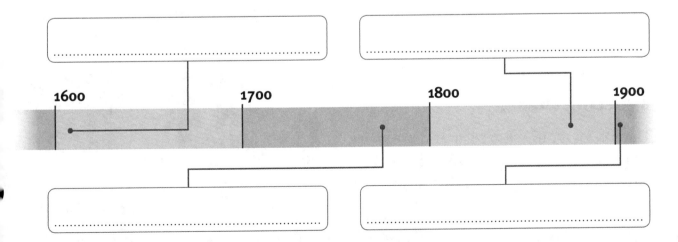

LE DIAGRAMME

Le diagramme est un outil qui permet de représenter et de comparer différentes informations sur un même phénomène. Par exemple, on pourrait faire un diagramme pour illustrer ta croissance. Pour chaque année, on trace une ligne indiquant ta taille. En un seul coup d'œil, on comprend que ta taille augmente d'année en année. En fait, il existe différents types de diagrammes. Observe-les pour bien comprendre.

Le diagramme à bandes

Pour lire ce diagramme, tu dois observer la longueur des lignes et non la largeur.

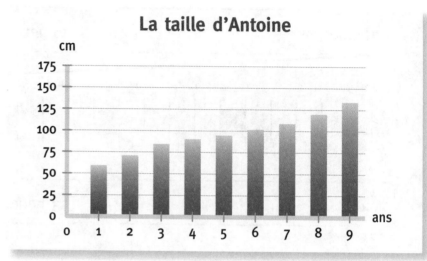

La taille d'Antoine

Où dînent les élèves ?

Le diagramme circulaire

Ce type de diagramme prend la forme d'une tarte découpée en morceaux. Ici, tu dois regarder la surface et l'importance de chaque portion.

Le diagramme à pictogrammes

Dans ce diagramme, les variations sont indiquées par des dessins. Tu dois simplement examiner leur dimension.

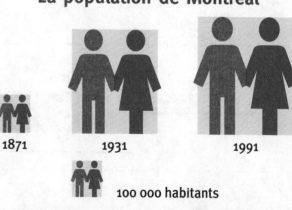

La population de Montréal

Maintenant que tu en as vu différents exemples, tu connais mieux les diagrammes. Tu peux donc lire le diagramme suivant, à l'aide de la page précédente.

1 De quel type de diagramme s'agit-il? ....

Le sport préféré des élèves de la classe d'Antoine

Équitation
Hockey
Natation
Soccer
Tennis

Observe bien le diagramme précédent et sa légende, puis réponds aux questions.

2 Selon le diagramme, quel sport est le plus populaire? Encercle la bonne réponse.

a) Natation.   b) Soccer.   c) Hockey.

3 Selon le diagramme, quel sport semble le moins pratiqué? Encercle la bonne réponse.

a) Tennis.   b) Équitation.   c) Natation.

4 En te basant sur le diagramme, inscris les sports, du plus populaire au moins populaire.

....

....

....

....

....

Thème 2

Les éléments de géographie

LE RELIEF ET L'HYDROGRAPHIE

À vol d'oiseau, le Québec laisse voir des paysages variés. Le sol est inégal, tantôt plat, tantôt surélevé. L'ensemble de ces inégalités s'appelle le relief. Observe attentivement ce dessin et en particulier les différentes formes du relief.

Colline : élévation de terrain de faible hauteur, de forme arrondie, aux pentes douces.

Plaine : étendue de terrain plat.

Vallée : espace allongé entre deux régions plus élevées, creusé par un cours d'eau.

Montagne : grande élévation de terrain, de dimension importante et aux pentes raides.

Plateau : terrain surélevé plat ou ondulé.

La pluie pénètre dans le sol et le surplus forme des rigoles. Cette eau de surface rejoint les ruisseaux, qui se jettent dans les rivières, qui se déversent dans les fleuves. Ces voies d'eau poursuivent leur chemin jusqu'à l'océan. L'ensemble des cours d'eau d'une même région forme un bassin hydrographique.

Lac : grande étendue d'eau à l'intérieur des terres.

Rivière : cours d'eau de moyenne importance.

Affluent : cours d'eau qui se jette dans un autre.

Ruisseau : petit cours d'eau.

Fleuve : grand cours d'eau aux nombreux affluents, qui se jette dans l'océan.

Golfe : bassin en cul-de-sac formé par l'avancée de l'océan.

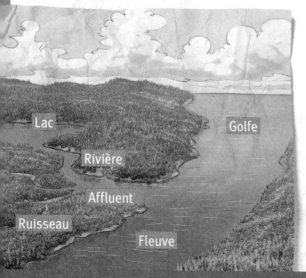

Regarde les photos suivantes. Imagine que tu es un oiseau.
Tu survoles ces quatre régions en te rappelant les éléments
du relief et de l'hydrographie.

1 Nomme les types de relief, de cours d'eau ou d'étendues d'eau.
Inscris le numéro de la photo correspondante dans la case appropriée.

a) C'est une grande étendue d'eau à l'intérieur des terres. .... ☐

b) C'est un important cours d'eau qui se jette dans l'océan. .... ☐

c) C'est une grande étendue de terrain plat. .... ☐

d) C'est une faible élévation de terrain qui possède
un sommet arrondi. .... ☐

LA VÉGÉTATION ET LE CLIMAT

Lorsque tu visites le Québec du sud au nord, tu constates que la végétation se transforme et que la température change. Cela est dû à l'immensité du territoire, à la variété des sols et aux conditions climatiques changeantes.

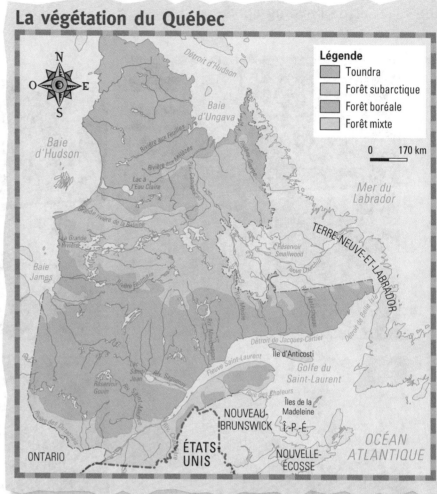

La végétation du Québec

Légende

- Toundra
- Forêt subarctique
- Forêt boréale
- Forêt mixte

0   170 km

Toundra

Exposée aux vents violents et aux grands froids, la végétation de la toundra est formée de mousses, de lichens et d'arbustes. Le sol, gelé à longueur d'année, est pauvre. Cela, ajouté à de faibles précipitations, explique ce type de végétation.

Forêt boréale

Composée surtout de conifères, c'est la forêt la plus étendue du Québec. Le sol pauvre ainsi que le climat froid et humide conviennent à la croissance de magnifiques conifères tels le sapin, l'épinette, le mélèze et le pin.

Forêt subarctique

La forêt subarctique se compose de petits conifères espacés. La pauvreté du sol, le gel durant presque dix mois par an et les faibles pluies ne facilitent pas la croissance des arbres.

Forêt mixte

Cette forêt regroupe des conifères et des feuillus : du sapin, de la pruche, du pin, du bouleau, du merisier et de l'érable à sucre. Un climat humide, des étés assez chauds et un sol riche favorisent cette végétation.

Nom : .... Date : ....

Voici trois photos représentant différents types de végétation au Québec.

1 Pour chaque image, nomme le type de végétation illustré.

a)

b)

c)

....

2 Dans la région où tu habites :

a) Quel type de végétation retrouve-t-on principalement?

....

b) Comment les gens de ta région utilisent-ils ce type de végétation?

....

....

Tu travailles en acériculture, c'est-à-dire que tu produis du sirop d'érable.

3 a) Dans quel type de forêt du Québec exerces-tu ton métier? ....

b) Pourquoi? ....

....

....

....

....

....

Les Iroquoiens vers 1500

-30 000
Arrivée des premiers
occupants de
l'Amérique

-8000
Arrivée des ancêtres
des Amérindiens
au Québec

-30 000   -20 000   -10 000

PROJET

L'utilisation des ressources naturelles sur le territoire iroquoien

Une station de radio te demande de produire une capsule d'information sur les Iroquoiens. Tu dois faire découvrir aux auditeurs et auditrices comment les Iroquoiens ont transformé les ressources de la nature pour faciliter leur mode de vie.

➤ Choisis et décris une ressource naturelle employée par les Iroquoiens.

➤ Donne des exemples d'utilisation de cette ressource par les Iroquoiens.

➤ Explique la transformation de cette ressource chez les Iroquoiens. Qui la transforme? Comment?

➤ Explique l'utilité de cette ressource transformée.

➤ Qui s'en sert? Pourquoi?

Consigne par écrit les renseignements trouvés. Présente ta capsule d'information à tes camarades de classe.

1500
Culture du maïs

-1/1

Les origines et le territoire

D'où viennent les ancêtres des Amérindiens ?
Quel est le territoire des Iroquoiens vers 1500 ?

PRÉPARATION **1** Observe les illustrations suivantes. Selon toi, qui sont les premiers habitants de l'Amérique ? Coche la case appropriée.

a) Paysans français. ☐   b) Amérindiens. ☐   c) Soldats anglais. ☐

RÉALISATION

Il était une fois, il y a très longtemps

Il y a de cela très longtemps, une grande partie de l'Amérique du Nord était recouverte de glace. À cette époque préhistorique, il y a près de 30 000 ans, des chasseurs **nomades** se déplacent au nord-est de l'Asie. Armés de lances et de couteaux taillés dans la pierre, ils pourchassent des troupeaux de bisons, de mammouths, de caribous et de bœufs musqués.

Nomade : qui se déplace souvent.

Plaine de la Béringie

Selon les scientifiques, ces chasseurs auraient traversé un passage alors situé entre la Sibérie et l'Alaska : la vaste plaine de la Béringie. Sans le savoir, ils venaient d'arriver en Amérique, mais une immense barrière de glace a arrêté leur course.

Il y a environ 10 000 ans, à cause de la fonte des glaciers, les nomades reprennent leur marche vers l'intérieur du continent. Un premier groupe descend vers le sud en passant par les plaines centrales des États-Unis pour atteindre l'Amérique du Sud. Un deuxième groupe se dirige vers l'est des États-Unis et le sud-est du Canada. À la fin de la période glaciaire, il y a plus de 8000 ans, le sud du Québec reçoit ses premiers habitants.

Ces bandes de chasseurs seraient-ils les ancêtres des Amérindiens ?

Ancêtre : personne dont on descend.

Les routes des premiers habitants d'Amérique

Légende
- Route des chasseurs de Béringie
- Route côtière de l'océan Pacifique
- Glaciers

0   2000 km

Le territoire iroquoien

Les Iroquoiens occupent des terres situées dans la vallée du Saint-Laurent et à l'est des Grands Lacs. Vers 1500, on compte près de 100 000 Iroquoiens vivant dans une centaine de villages dispersés sur tout le territoire. Ces villages sont situés près des cours d'eau où les terres fertiles permettent de développer l'agriculture. Les Iroquoiens forment une société sédentaire.

Le territoire iroquoien présente un relief parsemé de collines, de vallées et de plaines ondulées où les cours d'eau et les lacs sont nombreux. Le long du Saint-Laurent, les étés sont chauds et courts, les hivers, froids et longs. Il tombe des quantités considérables de neige. Près des Grands Lacs et dans la vallée de la rivière Susquehanna, le climat est plus doux, il y a de longues périodes sans gel et peu de pluie.

Sédentaire : qui habite longtemps au même endroit.

LA POPULATION DES NATIONS IROQUOIENNES	
Nation	**Population**
Neutres	24 000
Iroquois	22 100
Hurons	21 200
Ériés	13 500
Pétuns	8 200
Iroquoiens du Saint-Laurent	5 000
Andastes	4 000
Total	**98 000**

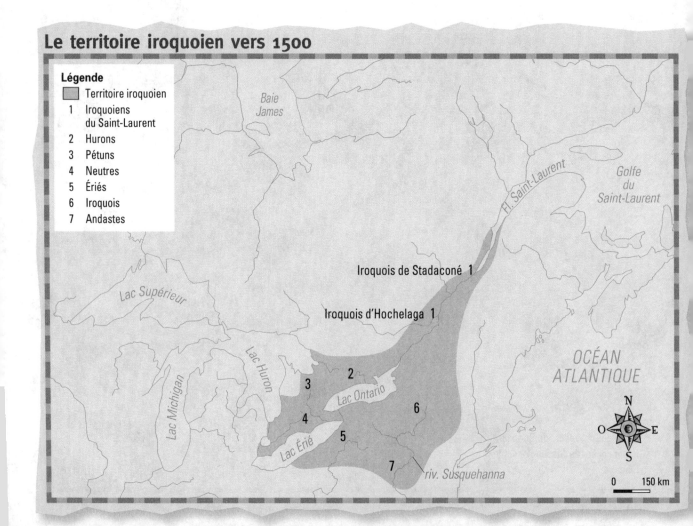

Le territoire iroquoien vers 1500

Légende
- Territoire iroquoien
1. Iroquoiens du Saint-Laurent
2. Hurons
3. Pétuns
4. Neutres
5. Ériés
6. Iroquois
7. Andastes

Baie James

Fl. Saint-Laurent

Golfe du Saint-Laurent

Iroquois de Stadaconé 1

Iroquois d'Hochelaga 1

Lac Supérieur

Lac Michigan

Lac Huron

Lac Ontario

Lac Érié

OCÉAN ATLANTIQUE

riv. Susquehanna

0   150 km

Nom :.. **Date :**..

2 Donne le nom des cinq Grands Lacs.

1) ....

2) ....

3) ....

4) ....

5) ....

3 Quel grand cours d'eau prend sa source dans les Grands Lacs?

....

INTÉGRATION

page 7

4 Colorie en vert le territoire iroquoien sur la carte.

5 Écris le nom des trois nations iroquoiennes les plus nombreuses. Dans ta réponse, tu dois respecter un ordre croissant.

1) ....

2) ....

3) ....

Le territoire iroquoien vers 1500

Légende
☐ Territoire iroquoien

N O E S

0   150 km

Les ressources naturelles

Quelles sont les ressources naturelles du territoire iroquoien ?

Comment les Iroquoiens utilisent-ils ces ressources ?

PRÉPARATION **1** Observe l'illustration des pages 18 et 19. Nomme deux ressources du territoire iroquoien vers 1500.

1) .... 2) ....

RÉALISATION

Une terre d'abondance

Les Iroquoiens ont besoin de la forêt, de l'eau et des animaux pour vivre. Ils dépendent de leur milieu naturel : c'est là qu'ils trouvent les ressources nécessaires pour se loger, se nourrir et se vêtir.

Vers 1500, le territoire iroquoien est recouvert au nord de la forêt mixte et au sud de la forêt de feuillus. Les conifères les plus courants sont le pin, l'épinette, le sapin et le cèdre. Les essences de feuillus les plus courantes sont l'érable, le bouleau, le chêne et l'orme.

Les Iroquoiens coupent le bois des arbres pour construire leurs maisons et se chauffer. Dans les sous-bois poussent de petits fruits sauvages tels que les fraises, les framboises, les mûres, les bleuets et les canneberges. Les Iroquoiens y cueillent aussi des plantes médicinales pour en faire des médicaments.

La forêt abrite une multitude d'animaux. L'ours noir, le loup, le porc-épic, le castor et le rat musqué y trouvent refuge. Le cerf de Virginie occupe toute la région, sauf la vallée du Saint-Laurent. Le wapiti et l'orignal fréquentent les rives du grand fleuve.

Les oiseaux abondent sur le territoire iroquoien. Le héron, l'oie blanche et la bernache y reviennent chaque année. Les forêts sont remplies de centaines d'autres espèces d'oiseaux comme la perdrix et la tourte. Ces animaux et ces oiseaux fournissent de la nourriture. Leur peau ou leurs plumes servent à confectionner des vêtements.

Savais-tu ?

Vers l'an 1500, on compte plus de 10 millions de bisons en Amérique du Nord. On en trouve même sur les rives des Grands Lacs. Au début du 20e siècle, il ne reste plus qu'une vingtaine de ces grands mammifères. Aujourd'hui, la situation s'est améliorée grâce aux réserves fauniques qui les protègent.

Les lacs et les rivières grouillent de poissons. Les Iroquoiens y pêchent entre autres la truite, le saumon, l'esturgeon et le brochet. Les eaux du fleuve Saint-Laurent sont aussi peuplées de mammifères marins comme la baleine, le béluga, la loutre et le phoque. Le gras de ces animaux peut être ajouté au repas et la peau est utilisée dans la confection des vêtements et des mocassins.

Le territoire iroquoien ne manque pas de ressources.

2 Remplis le tableau à l'aide du texte précédent. Nomme trois ressources par catégorie.

La végétation	
Les arbres	....
Les fruits	....
Les animaux terrestres	
Les mammifères	....
Les oiseaux	....
Les animaux aquatiques	
Les mammifères	....
Les poissons	....

INTÉGRATION

3 Les Iroquoiens utilisent les ressources du territoire pour survivre. Colorie les pastilles sous les ressources ci-après en respectant le code de couleurs. Tu peux utiliser plus d'une couleur par ressource.

● Les ressources utilisées pour se nourrir.

● Les ressources utilisées pour se loger et se chauffer.

● Les ressources utilisées pour se vêtir.

Truite	Orignal	Canneberge	Pin	Bernache	Phoque
○ ○ ○	○ ○ ○	○ ○ ○	○ ○ ○	○ ○ ○	○ ○ ○

Thème 3

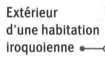

L'aménagement du territoire

Comment les Iroquoiens aménagent-ils leur territoire, leur habitation ?

PRÉPARATION

1 **a)** Quel est le nom de la ville ou du village où tu habites ?

....

b) Nomme un avantage et un inconvénient de la maison ou du logement où tu habites.

Avantage : ....

Inconvénient : ....

2 Observe les deux illustrations ci-dessous.

Extérieur d'une habitation iroquoienne •○

Intérieur d'une habitation iroquoienne •

3 D'après tes observations, comment les Iroquoiens vivent-ils ? Coche ta réponse.

a) En grand groupe, dans un village. ☐

b) En petits groupes, séparés les uns des autres. ☐

4 Nomme deux matériaux utilisés pour l'aménagement de leur habitation.

1) ....   2) ....

RÉALISATION   À l'abri

Les Iroquoiens vivent dans
des maisons longues, organisées
en village. Le village est construit
sur un sol fertile, favorable à la culture
du maïs, près d'une source d'eau
potable. Non loin, la forêt fournit
le bois à brûler et les matériaux
de construction.

Village iroquoien

Les villages importants se trouvent au sommet
d'une colline, un lieu facile à défendre contre les attaques
ennemies. Ils sont entourés d'une clôture de bois appelée palissade,
faite de deux ou trois rangs de pieux plantés dans le sol. Une seule entrée
y donne accès. La population d'un village varie de 50 à 2000 habitants.

La maison longue porte bien son nom. Large de huit mètres, haute de
cinq mètres, sa longueur est d'environ trente mètres. Recouverte d'écorce
de cèdre ou d'orme, la charpente est faite de pieux plantés dans le sol,
courbés et rattachés par le haut. Le toit arrondi est percé d'ouvertures
pour laisser s'échapper la fumée. Au centre de la maison, plusieurs
grands foyers servent à se chauffer, et de petits feux permettent de faire
la cuisine. Chaque maison longue réunit de huit à dix familles, soit
de cinquante à soixante personnes, sans compter les chiens !

Le long des murs, une plate-forme recouverte d'écorce sert de lit durant
l'été. L'hiver, les dormeurs s'étendent sur des nattes près du feu, serrés les
uns contre les autres.

L'intérieur d'une maison longue

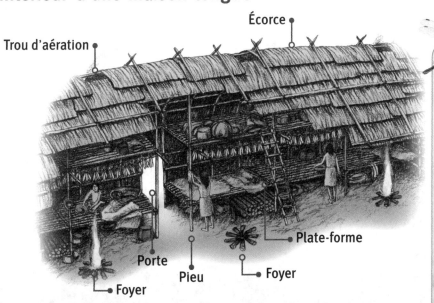

Trou d'aération

Écorce

Porte

Pieu

Foyer

Plate-forme

Foyer

Savais-tu ?

Quand le sol s'épuise
et que les sources de
bois de chauffage sont
trop éloignées, le village
doit déménager quelques
kilomètres plus loin. Tout
est à refaire : le défrichage
de la forêt, la reconstruction
des maisons et de la
palissade. Cela se produit
tous les dix à quinze ans !

page 6

5 Observe bien le plan et nomme les différentes composantes de la maison longue. Aide-toi des illustrations des pages 26 et 27.

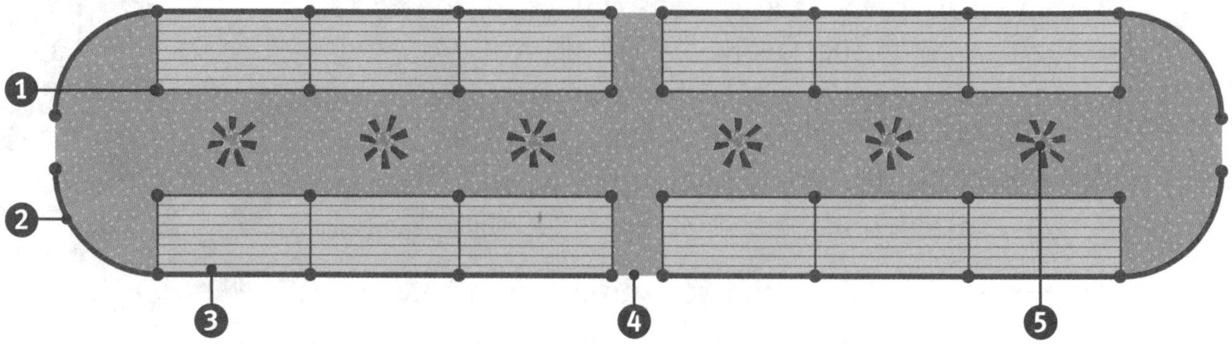

1 .... **4** ....

2 .... **5** ....

3 ....

INTÉGRATION

6 Dessine le plan d'un nouveau village iroquoien. Donne un titre à ton plan. Complète la légende en donnant un numéro à chaque élément. Reporte ce numéro à l'endroit approprié sur ton plan.

Titre : ....

Légende

◯ Palissade

◯ Maisons longues

◯ Culture de maïs

◯ Cours d'eau

Les rôles sociaux

Comment les femmes iroquoiennes influencent-elles la vie au village ?

PRÉPARATION **1** Dans ton quotidien, les tâches ci-contre sont-elles accomplies par un homme (H), une femme (F) ou par les deux ? Coche tes réponses.

Tâches	H	F
Faire la vaisselle.		
Préparer les repas.		
Sortir les ordures.		

2 D'après toi, à qui reviennent ces tâches chez les Iroquoiens vers 1500 ? Dessine un trait pour relier la tâche à la personne qui l'exécute.

a) Cultiver du maïs.

b) Construire des maisons.

c) Pêcher.

d) Faire la guerre.

e) Confectionner des vêtements.

RÉALISATION ## À chacun sa tâche

Dans la société iroquoienne, la femme et l'homme sont égaux. Seule la répartition des tâches quotidiennes les distingue.

Les mères jouent un rôle très important dans la politique, l'économie et l'organisation sociale. Elles nomment et conseillent les chefs. S'ils abusent de leurs pouvoirs, elles peuvent les remplacer. Les femmes décident également s'il faut déclarer la guerre ou rétablir la paix. Elles prennent part aux décisions tout aussi activement que les hommes.

Iroquoien
plantant
un pieu

Les femmes possèdent les terres à culture et les habitations. Aidées de leurs filles, elles sèment, **sarclent** et font les récoltes. De plus, elles gèrent l'entreposage et la distribution de la nourriture au sein de leurs familles.

D'autres tâches sont aussi confiées aux femmes. Elles ramassent le bois à brûler et entretiennent le feu. Elles cousent les canots, apprêtent les peaux, confectionnent et décorent les vêtements. De plus, les femmes préparent les repas. Enfin, il revient aux Iroquoiennes de transmettre les valeurs et d'enseigner toutes ces tâches aux jeunes filles.

Les hommes iroquoiens abattent des arbres et défrichent la terre. Ils bâtissent les maisons longues et la palissade qui entoure le village. Tout au long de l'année, ils se déplacent pour la chasse, la pêche, le commerce et la guerre. Les hommes sont absents du village pendant de longues périodes.

Sarcler : enlever les mauvaises herbes.

Les hommes construisent aussi les canots. En hiver, ils taillent les outils et les armes dans la pierre, l'os et le bois.

Les garçons iroquoiens veulent devenir de courageux guerriers. Ils apprennent à chasser et à pêcher auprès de leur père. Les jeunes jouent à la balle, s'exercent à tirer à l'arc et au harpon.

Enfants iroquoiens
à la pêche

Savais-tu ?

Les femmes iroquoiennes fabriquent elles-mêmes les contenants et les ustensiles pour la cuisine ou l'entreposage des aliments. Elles façonnent à la main, dans l'argile, des marmites et des vases ronds qu'elles font sécher à l'air ou cuire dans le feu.

Femme iroquoienne
faisant de la poterie •——○

Iroquoiens jouant à la crosse

Crosse

3 Remplis le tableau suivant, il te permettra de mieux saisir le rôle de l'homme et de la femme dans la société iroquoienne. Fais des X dans les cases appropriées.

Activités	Hommes	Femmes	Enfants
a) Chasse et pêche			
b) Entretien des champs			
c) Fabrication de contenants			
d) Construction de maisons et de palissades			
e) Abattage des arbres			
f) Ramassage du bois de chauffage			
g) Préparation des peaux			
h) Fabrication des armes			
i) Entreposage de la nourriture			
j) Guerre			
k) Préparation des repas			
l) Fabrication des canots			
m) Commerce			

Paroles d'Iroquoienne

« Chez les Iroquoiens, le sentiment de liberté est très fort. C'est pourquoi nous sommes patients et permissifs avec nos enfants. Nous ne trouvons pas utile de les punir.

Nos aînés, hommes ou femmes, sont respectés et écoutés pour leur sagesse et leur prudence.

Chez nous, chaque maison longue appartient à une mère puissante. Cette femme âgée surveille les affaires quotidiennes de la maisonnée. La famille est composée d'une mère, de son mari, de leurs filles et de leurs fils non mariés. Elle regroupe également les filles mariées et leur famille. De plus, les sœurs de la mère ainsi que leurs maris et leurs enfants habitent aussi dans la même maison.

Le nouveau marié doit quitter sa famille pour celle de son épouse. Regarde le schéma que j'ai tracé, tu comprendras mieux. »

Savais-tu ?

La générosité, l'hospitalité et le partage sont des valeurs importantes aux yeux des Amérindiens. Pour éviter les inégalités, tous les biens acquis à la chasse, aux champs ou à la guerre sont redistribués à l'intérieur des familles. Une seule règle s'applique : l'objet offert doit être retourné sous une forme ou une autre. Celui qui a reçu doit donner à son tour. Il n'y a ni vendeur, ni acheteur, ni riche, ni pauvre.

L'organisation familiale iroquoienne

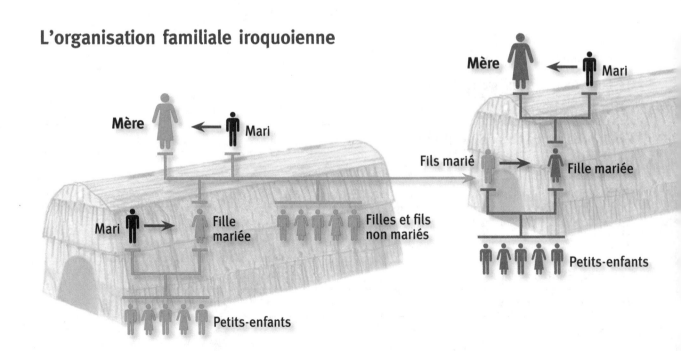

4 Parmi les phrases suivantes, encercle celles qui sont vraies.

a) Un des garçons de la maison longue en deviendra le chef.

b) Les épouses quittent leur famille pour habiter avec celle de leur époux.

c) Chez les Amérindiens, le partage est une valeur très importante.

d) Chez les Iroquoiens, les enfants ne sont pas punis.

e) Les aînés sont laissés seuls puisqu'ils n'apportent plus rien à la famille.

f) Chez les Iroquoiens, lorsqu'une personne reçoit quelque chose, elle doit donner à son tour.

g) Les femmes iroquoiennes sont les chefs de famille.

h) Chez les Iroquoiens, les aînés sont respectés pour leur sagesse.

Savais-tu ?

À cause de l'importance des femmes dans l'organisation sociale, économique et politique, on dit que les Iroquoiens forment une société matriarcale.

INTÉGRATION

5 Comment les femmes iroquoiennes influencent-elles la vie au village ?
Remplis le tableau suivant en donnant un exemple pour chaque thème.

Thèmes	Exemples de l'influence des femmes iroquoiennes
a) Politique	....
b) Économique	....
c) Organisation sociale	....

L'organisation politique

Comment se prennent les décisions dans la société iroquoienne ?

PRÉPARATION • **1** Avec tes parents ou avec tes camarades, lorsqu'il y a des conflits, quelle serait la meilleure façon de faire ? Coche ta réponse.

a) Je me tais et j'attends que la colère passe. ☐

b) J'exprime mes sentiments à la personne concernée ☐
avec des mots clairs.

RÉALISATION • ## Le choix des chefs

Les familles de plusieurs maisons longues, qui descendent d'une même ancêtre maternelle forment un clan. Chaque clan est représenté par un animal totémique comme l'ours, la tortue ou le héron. Cet animal, ou totem, est affiché au-dessus de la porte principale des maisons longues.

**Clan
de l'ours**

**Clan
de la tortue**

**Clan
du héron**

Chez les Iroquoiens, les pouvoirs civils et militaires sont séparés. Dans chaque clan, on nomme un chef civil et un chef de guerre. Le chef civil porte le nom de sachem. Il est élu par les femmes pour son intelligence, sa générosité, son honnêteté et sa capacité à prendre de sages décisions. Le chef de guerre n'est pas nommé par les femmes. Il gagne son poste par sa bravoure, sa force et son succès à la guerre.

Les sachems s'occupent de la vie de toute la communauté. Ils veillent au respect des coutumes et des lois. Ils préparent les fêtes, les danses et les jeux à l'intérieur du village.

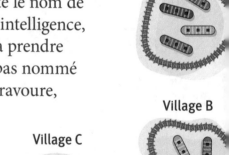

Village A

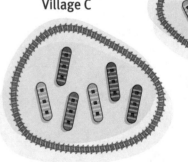

Village B

Village C

L'organisation des clans iroquoiens

De plus, les sachems organisent le commerce entre les nations. Les chefs de guerre mènent les expéditions contre les nations ennemies. Tous les sachems du village forment le conseil de village. Lors des réunions, les décisions se prennent à l'**unanimité**, c'est-à-dire que l'on discute jusqu'à ce que tous les chefs s'entendent. L'ensemble des conseils de village forment le conseil de nation. Les chefs de guerre sont regroupés de la même façon que les sachems.

Les nations iroquoiennes se regroupent pour consolider les liens de paix entre elles. Ces **alliances** permettent de lutter contre des ennemis communs.

Unanimité : accord complet entre les membres d'un groupe.

Alliance : accord conclu entre des personnes, qui les engage à s'aider mutuellement.

2 Quelles sont les qualités nécessaires pour devenir un chef iroquoien? Fais des X dans les cases appropriées.

	Sachem	Chef de guerre
a) Force		
b) Générosité		
c) Bravoure		
d) Intelligence		
e) Honnêteté		
f) Sagesse		
g) Succès à la guerre		

3 a) Dans un clan, qui choisit le sachem? ....

b) Quelles sont les responsabilités des sachems d'un village? Nommes-en trois.

1) ....

2) ....

3) ....

Sur le pied de guerre

Antérieur : qui arrive avant.

Scalp : trophée constitué par la peau du crâne avec sa chevelure.

Les guerriers iroquoiens livrent bataille du printemps à l'automne, au moment où la végétation permet de se camoufler. Les guerres amènent souvent ces hommes loin de leur territoire. Avant leur départ, les villageois offrent un festin pour le succès de leur expédition.

La vengeance est la principale raison des conflits. Il faut venger les frères tués au cours de combats **antérieurs**. Les jeunes hommes iroquoiens y prouvent leur courage et leur habileté. Ils acquièrent du prestige surtout s'ils ramènent un **scalp** ou un prisonnier. Celui-ci mourra torturé ou sera adopté par une famille pour remplacer un de ses membres mort à la guerre.

Les principales armes du guerrier sont l'arc et les flèches ainsi que la massue pour les combats rapprochés. Les Iroquoiens pratiquent la guerre d'embuscade. Cachés aux abords d'un sentier ou dans un champ, ils attendent patiemment leurs ennemis pour les surprendre.

Savais-tu ?

La devise de la nation iroquoienne lors des guerres est : « Surgir comme un renard, se battre comme un lynx, s'envoler comme un faucon. »

Savais-tu ?

Le guerrier part toujours bien armé, mais aussi bien protégé. Une armure faite de pièces de bois, attachées avec des cordes, protège parfois tout son corps et ses jambes contre les flèches. Il porte un bouclier en écorce ou en cuir bouilli.

Attaque iroquoienne

4 Décris comment les Iroquoiens font la guerre. Pour ce faire, nomme trois pièces d'équipement et décris leur stratégie guerrière.

Pièces d'équipement	Stratégie guerrière
1)	....
2)	....
3)	....

5 Lorsque les guerriers iroquoiens font un prisonnier, pourquoi une famille du village peut-elle adopter celui-ci?

....

INTÉGRATION

6 Imagine que tu fais partie d'un clan iroquoien. Choisis un totem animalier pour représenter ton clan. Dessine-le et indique de quel animal il s'agit. Explique ton choix en une phrase.

a)

b) Animal : ....

Pourquoi? ....

....

....

7 Complète les phrases suivantes à l'aide de la banque de mots.

- **conseil des nations** • **sachem** • **femmes**
- **conseils de village** • **chef civil** • **paix**
- **conseil de village** • **sachems** • **unanimité**

a)

Les .... de chaque

clan élisent un ....

aussi nommé ....

b)

Tous les .... forment

le ....

Ils prennent les décisions

à l'.. .

c)

Les ....

se regroupent en un ....

.... Les élus y concluent des ententes

commerciales et travaillent à consolider la ....

8 Dans le cas d'un conflit avec une autre nation, quel chef doit intervenir?
Coche ta réponse.

a) Chef de guerre. ☐

b) Sachem. ☐

Les activités saisonnières

Comment les saisons influencent-elles la vie des Iroquoiens ?
Comment les Iroquoiens assurent-ils leur subsistance ?

PRÉPARATION . 1 Remplis cette page d'agenda en y inscrivant certaines activités que tu pratiques habituellement chaque mois de l'année. Par exemple, en août, c'est le début des classes.

Janvier	Juillet
	....
Février	Août
	Début des classes
Mars	Septembre
....	
Avril	Octobre
....	
Mai	Novembre
....	
Juin	Décembre
....	

2 Au rythme des saisons, les Iroquoiens pratiquent eux aussi plusieurs activités. Selon toi, à quelle saison ont lieu les activités suivantes ?

a) Les Iroquoiens partent pour de longues excursions de pêche.   ....

b) C'est la saison de la cueillette des petits fruits.   ....

c) Les Iroquoiennes sèment le maïs, les haricots et les courges.   ....

d) Les raquettes sont très utiles pour se déplacer.   ....

Nom : .... Date : ....

RÉALISATION

Au royaume des « trois sœurs »

Toutes les nations iroquoiennes pratiquent l'agriculture.
Chaque maison longue possède sa **parcelle** de terrain
dans les champs aux alentours du village.

Au printemps, les femmes y travaillent la terre à l'aide
de **houes**. En mai, elles sèment côte à côte le maïs,
le haricot et la courge. Ainsi, les tiges du maïs supportent
les haricots grimpants et les grandes feuilles des plants
de courges cachent le soleil aux mauvaises herbes.
Ces trois plantes font vraiment bon ménage. Voilà
pourquoi les Iroquoiens les appellent les « trois sœurs ».

Parcelle : très petite partie.

Houe : pioche à large lame
d'os ou de pierre servant
à remuer la terre.

Les champs sont parfois si grands que certaines femmes
s'installent dans des cabanes près de leurs plantations.
Durant les mois d'été, les Iroquoiennes et leurs enfants
sarclent le sol et chassent les prédateurs pour protéger
leurs cultures. C'est aussi, pour eux, la saison de
la cueillette des fruits sauvages tels les fraises,
les framboises, les mûres et les bleuets.

Aux champs, septembre et octobre
sont des mois de récolte. Au village,
l'automne est la période du séchage
des plantes cueillies. Les courges
sont ramassées puis conservées
dans des caches souterraines
tapissées d'écorce. Le maïs et les
haricots sont séchés et entreposés,
à l'intérieur de la maison, dans
des récipients d'écorce ou suspendus
sous le toit.

Agriculture iroquoienne

La récolte de maïs est suffisante pour
satisfaire les besoins du village durant
toute l'année et pour amasser des
surplus qui serviront au commerce.

3 Illustre les quatre étapes de l'agriculture iroquoienne. Compose ensuite une phrase qui décrit chaque dessin.

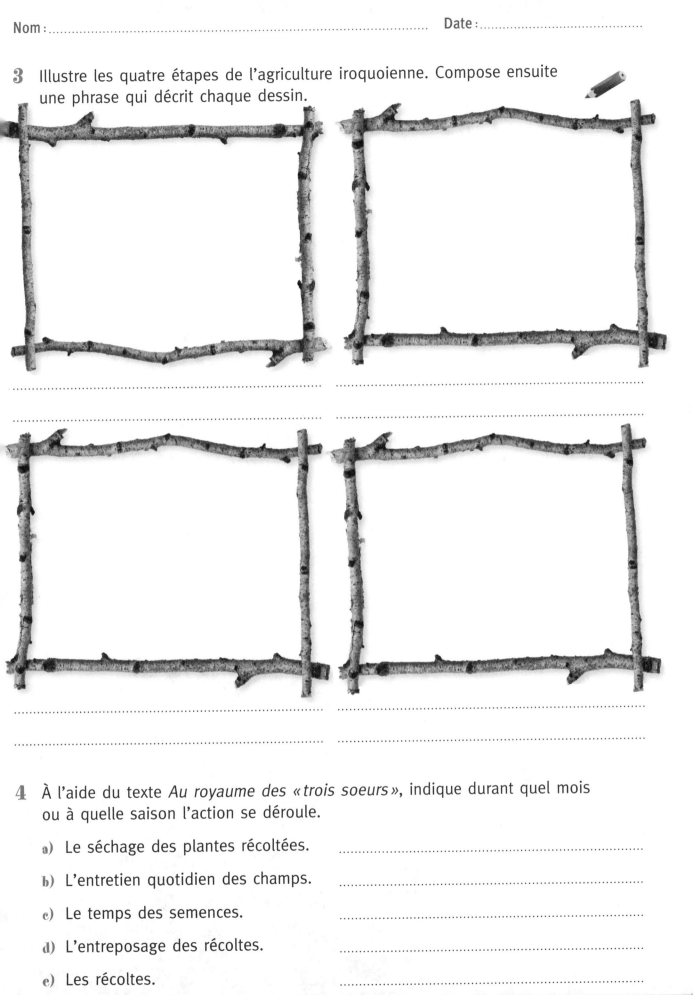

....
....

....
....

....
....

....
....

4 À l'aide du texte *Au royaume des «trois soeurs»*, indique durant quel mois ou à quelle saison l'action se déroule.

a) Le séchage des plantes récoltées. ....

b) L'entretien quotidien des champs. ....

c) Le temps des semences. ....

d) L'entreposage des récoltes. ....

e) Les récoltes. ....

Dans les bois

La chasse est une activité importante pour l'homme iroquoien. Un chasseur habile est très valorisé par les gens de son village, car il leur fournit la viande, la graisse, le cuir et la fourrure.

La saison de la chasse a lieu de l'automne au début du printemps. Bien souvent, les chasseurs doivent aller loin en forêt, car le gibier est rare autour des villages. L'Iroquoien chasse le cerf, l'ours, le castor, de nombreuses espèces d'oiseaux ainsi que de petits rongeurs comme le lièvre.

Les Iroquoiens chassent le petit gibier à l'aide de collets, de sarbacanes et de fléchettes. Pour la chasse au gros gibier, ils utilisent l'arc, la trappe et la massue. Ils ont parfois recours à la traque ou au rabattage. Cette technique consiste à poursuivre le gibier, jusqu'à une rivière ou un enclos construit près du village, pour l'abattre. Les Iroquoiens dressent leurs chiens pour ce type de chasse.

Sarbacane : tube servant à lancer de petits projectiles par la force du souffle.

Les périodes de chasse

Gros gibier	Petit gibier	Animaux à fourrure
	Septembre	
	Octobre	
Novembre	Novembre	
Décembre	Décembre	
Janvier	Janvier	
	Février	Février
	Mars	Mars
	Avril	

Savais-tu ?

Pour chasser le castor, les Iroquoiens démolissent sa hutte et l'attrapent au filet.

Rabattage de cerfs ●—○

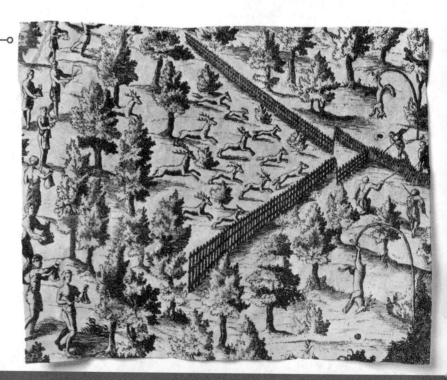

Coup de filet

La pêche est pratiquée toute l'année. Cependant, c'est à l'automne que les Iroquoiens quittent leur village pour les grandes excursions. Ces pêcheurs habiles connaissent les endroits et les périodes propices à la pêche.

Les Iroquoiens utilisent diverses méthodes de pêche. Sur les lacs, ils posent des filets pour prendre le poisson. En travers des ruisseaux, ils dressent des barrages et attrapent leurs prises au harpon. En hiver, ils pratiquent la pêche sous la glace à l'aide de filets ou de lignes.

De retour au village, le poisson est séché au soleil ou fumé au-dessus d'un feu. Il est ensuite emballé dans de l'écorce pour les réserves d'hiver. Cependant, quelques belles prises sont mangées fraîches.

Séchoir à poissons

Pêche iroquoienne

Harpon

Savais-tu ?

Lors de leurs randonnées, les chasseurs et les pêcheurs iroquoiens se recouvrent le corps et s'enduisent les cheveux de gras animal pour se protéger du soleil, du froid et des insectes.

5 Associe chaque technique de chasse à l'animal correspondant.
Inscris tes réponses sous les vignettes.

• **Filet**   • **Collet**   • **Trappe**   • **Rabattage**

a) ....   b) ....   c) ....   d) ....

6 Complète les phrases suivantes à l'aide de la banque de mots.

• **fumé**
• **fourrure**
• **glace**
• **automne**
• **gras**
• **printemps**
• **chiens**
• **lignes à pêche**
• **mars**
• **viande**
• **frais**
• **février**

a) Les chasseurs habiles sont valorisés parce qu'ils fournissent
de la ...., du gras, du cuir et de
la ....

b) La saison de chasse a lieu de l'..
au début du ....

c) Les animaux à fourrure sont chassés pendant les mois
de .... et de ....

d) Les Iroquoiens dressent leurs ....
pour la technique de chasse nommée « rabattage ».

e) L'hiver, nous pêchons sous la .... à l'aide
de filets et de ....

f) Le poisson rapporté au village est ....
ou mangé ....

g) Pour se protéger du froid, nous recouvrons notre corps
de .... d'animal.

La saison des échanges

Pendant la saison estivale, les Iroquoiens quittent leur village pour commercer avec les hommes d'autres villages ou d'autres nations. Les Amérindiens n'ont pas de monnaie, ils pratiquent le troc. Ils n'achètent pas, ils ne vendent pas : ils échangent des produits de première nécessité ou des objets de luxe. Ce commerce entretient de bonnes relations entre les groupes qui sont en paix.

Les Iroquoiens commercent entre eux. Ils s'échangent du silex pour fabriquer des pointes de flèche, des wampums et bien d'autres produits. Ils pratiquent aussi le troc avec les nations algonquiennes. À la mi-automne, les Algonquiens descendent du nord avec des fourrures, du poisson fumé et des canots. En retour, ils obtiennent des cordages, des filets de pêche et surtout de la farine de maïs qui leur permet de subsister durant l'hiver.

Estival : d'été.

Silex : pierre très dure et tranchante.

Savais-tu ?

Le wampum est un collier ou une ceinture faite de perles de coquillage. Il peut servir de monnaie d'échange ou être porté comme parure. Comme les Iroquoiens ne connaissent pas l'écriture, ils créent des messages grâce à la disposition, à la forme et à la couleur des perles. Ces objets conservent ainsi le souvenir d'événements ou de personnages importants.

Les nations iroquoiennes concluent des alliances entre elles afin de solidifier leurs liens de commerce et de paix.

Commerce entre nations

7 Maintenant, tu connais mieux les pratiques de commerce des Amérindiens vers l'an 1500.

a) Donne une définition du troc. ....

....

b) Dessine quatre biens acquis par les Iroquoiens lorsqu'ils font du commerce. Inscris le nom de chaque bien.

....

....

8 Complète les phrases suivantes avec les mots secrets. Replace dans l'ordre les lettres des mots entre parenthèses.

Les (anséhceg) .... ne servent pas qu'à se procurer des (rupidots)

.... de première nécessité. Ce commerce permet également

d'entretenir de bonnes relations afin de préserver la (xapi) ....

Par terre et par eau

L'Iroquoien utilise différents moyens de transport adaptés à son environnement.

Les Iroquoiens préfèrent se déplacer sur la terre ferme. Ils disposent d'un important réseau de sentiers pour relier leurs villages.

Les Iroquoiens dessinent le chemin qu'ils doivent emprunter sur de l'écorce de bouleau ou sur le sable.

Le collier de charge est une large bande de cuir que le porteur place sur son front. Il y attache la charge qui repose ainsi sur son dos.

Les Iroquoiens se déplacent aussi en canot sur les lacs et les rivières.

L'Iroquoienne transporte son bébé à la verticale, dans un sac doublé de mousse attaché à une planchette par des lanières de cuir.

En hiver, les Iroquoiens utilisent des raquettes tressées avec de la babiche. Sur la glace ou la neige, le toboggan permet le transport de charges.

Babiche : cuir dont on enlève le poil en le trempant dans l'eau. Il est ensuite étiré et coupé en fines et longues lanières.

Toboggan : traîneau en bois recourbé à l'avant.

9 À l'aide des informations de la page précédente, complète les phrases suivantes. Trouve ensuite chaque mot dans le mot caché.

a) En hiver, les Iroquoiens portent des .... pour ne pas s'enfoncer dans la neige lors des expéditions de chasse.

b) Les Iroquoiens utilisent un .... de charge pour transporter de lourdes charges sur leur dos.

c) Les Iroquoiens se déplacent en .... sur les cours d'eau.

d) Les Iroquoiens dessinent le .... à suivre sur de l'écorce de .... ou dans le ....

e) Pour voyager d'un village à l'autre, les Iroquoiens disposent d'un vaste .... de ....

```
S  E  N  T  I  E  R  S  N  S
C  B  T  O  B  O  G  I  E  U
A  O  G  A  N  W  M  T  A  R
N  U  Z  F  N  E  T  E  B  C
O  L  D  D  H  E  S  P  V  L
T  E  Z  C  U  É  A  Y  F  B
E  A  K  Q  R  Z  B  T  G  Y
H  U  A  C  O  L  L  I  E  R
G  R  V  G  L  O  E  R  O  F
O  A  T  C  U  A  Z  Z  O  N
```

Parmi les lettres qui restent, les huit premières forment un mot qui désigne un objet permettant le transport de charges sur la glace ou la neige. Quel est cet objet?

....

Savais-tu ?

Comme le bouleau est rare sur leur territoire, les Iroquoiens fabriquent des canots avec de l'écorce d'orme. À deux hommes, il faut deux jours pour en construire un. Après avoir prélevé délicatement l'écorce d'un gros orme, ils l'ajustent sur une charpente de bois et referment les deux extrémités. Ces embarcations sont lourdes, peu étanches et peu maniables. Elles ne durent pas longtemps.

Iroquoiens en canot d'écorce d'orme

INTÉGRATION

10 À l'aide du code de couleurs ci-dessous, indique à quelles saisons s'effectuent les activités illustrées.

⬤ Printemps　　⬤ Été　　⬤ Automne　　⬤ Hiver

a) Cueillette de fruits sauvages.

⬤ ⬤ ⬤ ⬤

b) Chasse au cerf.

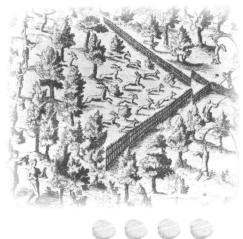

⬤ ⬤ ⬤ ⬤

c) Commerce entre nations.

⬤ ⬤ ⬤ ⬤

d) Pêche sous la glace.

⬤ ⬤ ⬤ ⬤

e) Déplacement en canot.

⬤ ⬤ ⬤ ⬤

f) Attaque iroquoienne.

⬤ ⬤ ⬤ ⬤

Les réalités culturelles

Thème 7

Quelles sont les réalités quotidiennes des Iroquoiens ?

PRÉPARATION • 1 Un élève du Maroc désire correspondre avec toi. Dans sa lettre, il te pose deux questions. Que peux-tu lui répondre ?

a) « Je porte surtout des vêtements d'été. Est-ce la même chose au Québec ? Explique-moi. »

....

b) « Le plat traditionnel de mon pays est le couscous, un mets à base de semoule de blé, de viande et de légumes. Décris-moi un plat traditionnel du Québec ou de ton pays d'origine. »

....

RÉALISATION ## Autour de la marmite

Le maïs occupe une place de choix dans la cuisine iroquoienne. Il est consommé grillé, bouilli et de bien d'autres manières. Cependant, l'aliment de base est la farine de maïs. Les femmes l'obtiennent en écrasant les grains dans un tronc d'arbre vide à l'aide d'un long bâton en bois. Ces grains écrasés sont ensuite passés au tamis.

Un repas ordinaire est une soupe claire faite avec cette farine, des morceaux de courge ainsi que de la viande ou du poisson. Ce plat est préparé dans une marmite en argile placée dans le feu. Le repas est complété par un pain enveloppé dans des feuilles de maïs et cuit dans les cendres chaudes. Les femmes y ajoutent parfois des fruits sauvages, des noix ou de la graisse de cerf.

Iroquoiennes préparant la farine de maïs

Le régime alimentaire des Hurons

- 65 % maïs
- 15 % haricots, courges et graines de tournesol
- 10 % poisson
- 5 % viande
- 5 % produits forestiers (baies, noix, eau d'érable, etc.)

Les Iroquoiens ne prennent que deux repas par jour, un le matin, l'autre le soir. Les jours de festin, le bouillon clair est remplacé par une soupe plus épaisse. Du pain, du gibier rôti, du poisson fumé et du maïs apprêté de façons variées sont aussi au menu.

page 12

2 Observe bien le diagramme ci-dessus sur le régime alimentaire des Hurons.

a) Quels aliments consomment-ils le plus ?

....

b) Quels aliments consomment-ils le moins ?

....

c) Mangent-ils plus de viande ou plus de poisson ?

....

Savais-tu ?

Les Hurons font partie de la grande famille de langues des Iroquoiens. Ils forment une nation que l'on appelle la nation huronne.

3 Réponds aux questions de la fiche suivante.

L'alimentation iroquoienne

a) Aliment de base : ....

b) Deux méthodes de cuisson des aliments :

....

....

Le maïs occupe une grande place dans l'alimentation des Iroquoiens, mais cela demande beaucoup de travail.

4 Relie par un trait les illustrations aux énoncés correspondants.

a)

c)

Préparation d'une soupe claire.

Récolte du maïs.

Fabrication de la farine de maïs.

b)

d)

Séchage du maïs.

Vêtus de peaux

Les Iroquoiens portent des vêtements simples taillés dans des peaux d'animaux. Les pièces de vêtement sont assemblées à l'aide d'une **alêne**, d'une aiguille et de lanières de cuir. Les vêtements iroquoiens sont décorés de motifs peints à la main et de piquants de porc-épic teints de couleurs vives.

Hommes et femmes portent un **pagne**. Par temps frais, les Iroquoiens revêtent une tunique droite et large avec ou sans manches ainsi que des **jambières**. En hiver, ils complètent leur costume par une cape de fourrure à manches longues. Tous chaussent des mocassins fabriqués d'une seule pièce de peau. En été, la femme porte une jupe. Elle a la poitrine nue comme les hommes. Elle se pare de bracelets et de parures de différentes couleurs. L'homme iroquoien, quant à lui, porte un sac à tabac sur son dos.

Fiers de leur personne, hommes et femmes prêtent une attention particulière à leur chevelure. Certains hommes y piquent des plumes, d'autres portent des peaux de serpent en bandeau sur le front. Ils aiment se peindre le corps de tatouages. Lors des fêtes, Iroquoiens et Iroquoiennes portent des wampums au cou, au bras, dans les cheveux et même pendus aux oreilles.

Alêne : poinçon pour percer des trous dans le cuir.

Pagne : morceau de peau d'animal noué à la taille et retombant sur les cuisses.

Jambière : pièce de vêtement qui enveloppe et protège la jambe.

Vêtements iroquoiens ●━━○

5 Lis attentivement ces phrases. Souligne celles qui sont vraies.

a) Les Iroquoiens portent des vêtements taillés dans des peaux d'animaux.

b) Les Iroquoiens aiment peindre des tatouages sur leur corps.

c) Les mocassins sont fabriqués à partir de deux ou trois pièces de peau.

d) L'été, seuls les hommes se promènent torse nu.

e) Des piquants de porc-épic décorent les vêtements iroquoiens.

6 Sur chaque illustration, nomme les pièces de vêtement portées par les Iroquoiens.

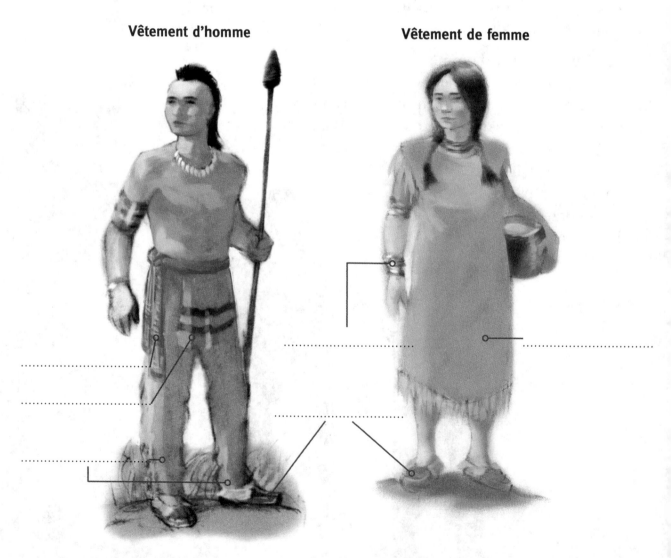

Vêtement d'homme

Vêtement de femme

Les rêves mènent le monde

Les Iroquoiens croient que tout ce qui existe est animé par un esprit. Les esprits du ciel, de la forêt et des rivières sont les plus puissants. Ils ont le pouvoir d'influencer la vie des humains. C'est par le rêve que les esprits communiquent avec les Iroquoiens. Un esprit insatisfait se manifeste par le malheur, la maladie ou la mort. Les esprits commandent aussi la chasse, la pêche, le commerce et la guerre.

Le chaman est un homme ou une femme qui possède des dons lui permettant de communiquer avec les esprits par le rêve, le chant et la danse. Il décode des rêves, fait connaître les désirs des esprits ou les causes d'une maladie. Il connaît aussi l'utilité des plantes médicinales pour soigner les malades.

Dans leur sac à tabac, les Iroquoiens gardent certains petits objets, appelés amulettes : pierre d'une forme spéciale, griffe de hibou, dent d'ours ou grain de maïs. Ces amulettes sont des porte-bonheur pour la chasse, la pêche, le commerce et le jeu.

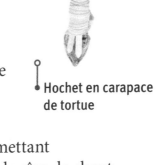

Hochet en carapace de tortue

Sac et amulettes

Savais-tu ?

Chez les Iroquoiens, les malades sont aussi soignés par des groupes de guérisseurs. Le plus connu est celui de la société des Faux Visages. Le visage recouvert d'un masque de bois, ces guérisseurs dansent autour du malade en agitant un hochet en carapace de tortue. Ils utilisent des cendres de tabac pour chasser la maladie. Le malade, une fois guéri, peut devenir lui aussi membre de la société.

7 Le rêve a une grande importance chez les Iroquoiens. Encercle les phrases qui sont vraies.

   a) Les chamans possèdent des dons leur permettant de communiquer avec les esprits par le rêve.

   b) Les Iroquoiens n'accordent aucune importance aux rêves.

   c) Seuls les hommes peuvent décoder les rêves.

   d) Les esprits de la forêt et du ciel communiquent avec les Iroquoiens par le rêve.

   e) Le chaman du village peut décoder les rêves.

8 Qui est le chaman?

....

....

INTÉGRATION

9 Classe les phrases suivantes. Place les lettres correspondantes au bon endroit dans le tableau.

   a) Le maïs est important dans l'alimentation des Iroquoiens.

   b) On les taille dans des peaux d'animaux.

   c) Les Faux Visages forment un groupe de guérisseurs.

   d) L'hiver, les Iroquoiens portent une cape de fourrure.

   e) La soupe claire est préparée dans une marmite d'argile.

   f) Le chaman communique avec les esprits en dansant.

RÉALITÉS QUOTIDIENNES DES IROQUOIENS VERS 1500		
Vêtements	**Croyances**	**Alimentation**

TRACES

Trouve les réponses et complète les phrases. Reporte ensuite chaque mot trouvé dans la pyramide.

1 C'est la lettre qui indique le nord sur la rose des vents. _____

2 Une des armes des guerriers iroquoiens. _____

3 Les _____ sont formés de familles qui ont une même ancêtre maternelle.

4 Ils sont élus par les femmes du village. _____

5 Les villages iroquoiens sont entourés d'une _____.

6 Les femmes iroquoiennes sont responsables de cette activité essentielle à l'alimentation des Iroquoiens. _____

7 Les villages sont construits sur un sol fertile où la _____ _____ _____ est possible.

8 Il est formé d'une large bande de cuir que les Iroquoiens placent sur leur front pour transporter divers objets. _____ _____ _____

9 Trois responsabilités des hommes dans la société iroquoienne.

_____ _____ _____

10 Le _____ _____ comprend la vallée du Saint-Laurent et une partie de la région des Grands Lacs.

ESCALE 3

Les Algonquiens vers 1500

-30 000
Arrivée des premiers occupants de l'Amérique

-8000
Arrivée des ancêtres des Amérindiens au Québec

-30 000   -20 000   -10 000

PROJET

Une affiche comparative

Un groupe d'archéologues prépare une présentation sur les familles amérindiennes du nord-est de l'Amérique du Nord. Ils ont besoin de ton aide afin de comparer le mode de vie des Iroquoiens à celui des Algonquiens vers 1500.

Tu dois concevoir une affiche sur laquelle tu compares un ou deux éléments du mode de vie des Iroquoiens et des Algonquiens. Choisis parmi les éléments suivants:

- le territoire et les ressources;
- l'aménagement de leur territoire;
- l'organisation sociale et politique;
- les activités saisonnières et quotidiennes;
- les réalités culturelles.

Les informations contenues sur ton affiche peuvent être présentées sous forme de dessin, de texte ou de schéma. Présente ton affiche à tes camarades de classe.

1500
Culture du maïs

-1/1

Nom : _____   Date : _____

Le territoire et les ressources naturelles

Vers 1500, quelles sont les différences entre les territoires algonquien et iroquoien ?

PRÉPARATION 1 À quoi ressemble la région où tu habites ? Décris ta région selon un des éléments suivants (coche ton choix) :

l'hydrographie ☐ ; le relief ☐ ; le climat ☐ ; la végétation ☐ ; la faune ☐.

....

....

RÉALISATION

Quelques milliers aux quatre coins du territoire

Giboyeux : riche en gibier.

Les Algonquiens sont des nomades. Ils se déplacent sur un immense territoire, qui s'étend de l'île de Terre-Neuve jusqu'au pied des montagnes Rocheuses. Ils habitent de **giboyeuses** forêts parsemées de lacs et de rivières. Les Algonquiens y trouvent tout ce dont ils ont besoin pour vivre. Les nations algonquiennes sont réparties sur presque tout le territoire du Québec et de l'Ontario actuels. On estime qu'en 1500, leur population se situait entre 12 000 et 17 000 personnes.

Les territoires algonquien et iroquoien vers 1500

Légende
- Territoire algonquien
- Territoire iroquoien
- - - Limites approximatives

Savais-tu ?

La famille algonquienne est composée de nations amérindiennes qui partagent une langue semblable et un mode de vie qui se ressemble. Par exemple, les Algonquins, les Attikameks et les Micmacs sont toutes des nations algonquiennes.

Dans les forêts du nord

La forêt occupe une importante portion du vaste territoire des Algonquiens. Les diverses nations habitent principalement la forêt boréale et la forêt mixte. Les sous-bois regorgent de petits fruits sauvages comme les bleuets, les framboises, les fraises, les mûres et les groseilles.

Dans ces bois épais, la faune est variée et semblable à celle du territoire iroquoien. Les animaux à fourrure, tels que le renard et l'ours noir, y sont particulièrement abondants. Plusieurs cours d'eau sillonnent les terres algonquiennes. Les nombreux lacs et rivières regorgent de poissons comme l'anguille et le saumon. Pour les Algonquiens, ces ressources naturelles occupent une place importante dans leur alimentation.

Le relief du territoire algonquien change d'une région à l'autre. Une large part de ce territoire, au nord du fleuve Saint-Laurent, est formée d'un vaste plateau couvert de milliers de collines, de rivières et de lacs. Au sud, la région des Appalaches est une chaîne de vieilles montagnes aux sommets arrondis. Le fleuve, le golfe du Saint-Laurent, les collines et les vallées dominent le paysage. Dans l'ensemble, le sol est rocailleux et peu fertile, donc peu propice à l'agriculture.

Vers 1500, les Algonquiens et les Iroquoiens se partagent une grande partie du nord-est de l'Amérique du Nord.

Renard

Ours noir

Caribou

Orignal

La végétation de l'est du Canada

Légende
- Toundra
- Forêt subarctique
- Forêt boréale
- Forêt mixte
- Forêt feuillue

Le climat varie énormément du nord au sud. Au nord du territoire, les Algonquiens vivent des hivers très froids et longs ainsi que des étés frais et courts. Au sud, ils connaissent des hivers moins rigoureux et des étés chauds. Les grandes variations de température ainsi que les précipitations abondantes expliquent la richesse de la flore et de la faune de cette vaste région.

Caractéristique : trait important qui différencie.

CARACTÉRISTIQUES DES FORÊTS		
Subarctique	**Boréale**	**Mixte**
Végétation : petits conifères espacés.	**Végétation :** conifères et feuillus.	**Végétation :** feuillus et conifères.
Sol : pauvre et gelé dix mois par année.	**Sol :** pauvre.	**Sol :** rocailleux et peu fertile.
Climat : hivers longs et très froids, étés courts et frais, faibles précipitations.	**Climat :** hivers très froids, étés courts et frais, précipitations modérées.	**Climat :** hivers froids, étés chauds et humides, précipitations abondantes.

Les températures saisonnières

	Janvier							°C			Juillet			
	-30	-25	-20	-15	-10	-5	0	+5	+10	+15	+20	+25
Forêt subarctique												
Forêt boréale												
Forêt mixte												

2 Complète le tableau sur la végétation du territoire algonquien vers 1500.

Types de forêts	Subarctique.	....	....
Caractéristiques			
Végétation	....	....	Feuillus et conifères.
Sol	Pauvre et gelé dix mois par année.	....	....
Climat	Hivers longs et très froids, étés courts et frais, faibles précipitations.	....	....

page 7

3 Complète la légende de la carte en utilisant les bonnes couleurs.

4 Écris le nom de quatre nations algonquiennes qui vivent à côté du territoire iroquoien.

1) ....

2) ....

3) ....

4) ....

Les territoires algonquien et iroquoien vers 1500

Légende

☐ Territoire algonquien

☐ Territoire iroquoien

INTÉGRATION **5** Avec tout ce que tu sais sur les Iroquoiens et les Algonquiens, complète les fiches suivantes.

Algonquiens
Mode de vie
Nomade ☐ Sédentaire ☐
Nombre d'individus
De 12 000 à 17 000.
Relief
....
Qualité du sol
Fertile ☐ Peu fertile ☐
Hydrographie
Rivières et lacs. Fleuve Saint-Laurent et golfe du Saint-Laurent.
Climat
Au nord : hivers très froids et longs, étés frais et courts. Au sud : hivers moins rigoureux et étés chauds, précipitations abondantes.

Iroquoiens
Mode de vie
Nomade ☐ Sédentaire ☐
Nombre d'individus
....
Relief
Collines, vallées et plaines ondulées.
Qualité du sol
Fertile ☐ Peu fertile ☐
Hydrographie
....
Climat
Vallée du Saint-Laurent : étés chauds et courts, hivers froids et longs, beaucoup de précipitations. Grands Lacs : climat plus doux, peu de précipitations, peu de gel.

6 Coche la phrase qui est vraie.

a) Le mode de vie des Amérindiens vers 1500 est directement lié aux caractéristiques du territoire qu'ils habitent. ☐

b) Les caractéristiques du territoire ont peu d'importance dans le mode de vie des Amérindiens vers 1500. ☐

L'aménagement du territoire

Thème 2

Comment les Algonquiens et les Iroquoiens s'adaptent-ils à leur environnement?

PRÉPARATION . Un ami te propose de partir avec lui et sa famille pour une fin de semaine de camping en forêt.

1 Remplis le tableau suivant en indiquant les avantages et les désavantages de la tente par rapport à ton habitation.

	Avantages	Désavantages

2 D'après toi, vers 1500, les Algonquiens et les Iroquoiens ont-ils le même type d'habitation? Pourquoi?

....

....

....

3 Si tu partais en expédition et que tu avais à te déplacer continuellement, quels sont les biens indispensables que tu apporterais avec toi? Nomme cinq objets et indique comment tu les transporterais.

1) ....

2) ....

3) ....

4) ....

5) ....

RÉALISATION · **Sous la tente**

Jonc : plante à tige droite qui pousse dans les marais.

Remblai : muret de neige pour isoler du vent et du froid.

La plupart des nations algonquiennes se déplacent souvent pour chasser et pêcher. Elles ont donc adopté le wigwam comme habitation. Plus pratique que la maison longue, le wigwam est une sorte de tente, habituellement de forme conique, qui se monte en une heure ou deux. Selon ses dimensions, il peut loger une ou plusieurs familles.

Intérieur d'un wigwam

Le wigwam est construit à l'aide de longues perches de bois coupées sur le site du campement. Plantées en cercle dans le sol, elles se rejoignent en haut. On laisse une ouverture au sommet pour que la fumée s'échappe. La structure est recouverte d'écorce ou de nattes de jonc. L'hiver, les Algonquiens ajoutent des peaux d'animaux sur le wigwam pour mieux l'isoler. Ils entassent la neige à l'aide de raquettes, tout autour de leur tente, pour faire un remblai contre le vent et le froid.

À l'intérieur, le sol est tapissé de branches de sapin sur lesquelles on dépose des peaux d'animaux ou des nattes de jonc en guise de lits. Un foyer est placé au centre. Une peau fixée à une perche sert de porte.

Lorsqu'ils déménagent, les Algonquiens récupèrent les écorces, qu'ils roulent et réutilisent au nouvel emplacement. La forêt fournit de nouveau les perches nécessaires à la construction.

Campement algonquien

4 Indique à quelle société amérindienne appartient chacune de ces habitations et remplis le tableau.

Société	....	....
Nom	....	Maison longue.
Forme	....	....
Matériaux de construction	Perches de bois. Écorce ou nattes de jonc. Peaux d'animaux (en hiver).	....
Intérieur	....	....

INTÉGRATION

5 Trouve un désavantage à la saison de l'été et de l'hiver. Écris quel moyen tu utilises pour t'adapter.

Saison	Désavantages	Moyens d'adaptation
Été	....	....
Hiver	....	....

Les rôles sociaux

Qu'est-ce qui distingue l'organisation sociale des Algonquiens de celle des Iroquoiens ?

1 De nos jours, il existe toutes sortes de familles. Décris la tienne. Avec qui habites-tu ? Quelles activités pratiques-tu en famille ?

....

....

Le partage des tâches

Strict : qui doit être respecté.

Patriarcal : où l'autorité du père est plus importante.

Les Algonquiens sont très strics dans le partage des tâches quotidiennes. Il est très mal vu qu'un homme accomplisse des travaux réservés aux femmes. Le contraire est aussi vrai.

Les Algonquiens ont une organisation sociale patriarcale. Les hommes y occupent une place très importante et décident de l'organisation familiale. Ils vivent avec leur femme, leurs enfants et leurs frères. Les filles doivent quitter la famille lorsqu'elles se marient.

Les hommes algonquiens pratiquent la chasse, la pêche, le commerce et font la guerre. Au campement, ils abattent les arbres. Avec le bois, ils fabriquent des outils, des armes, des plats et le cadre des raquettes. Ils sont aussi très habiles pour construire la structure des canots et des habitations.

L'organisation familiale algonquienne

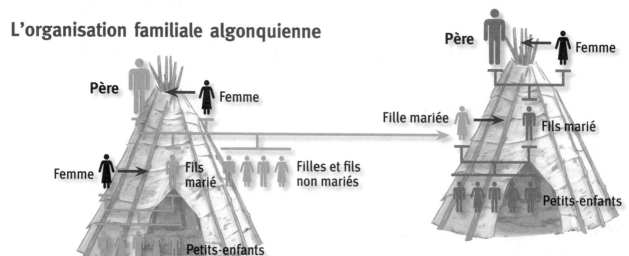

Algonquienne confectionnant un contenant d'écorce •——o

o•| Algonquienne préparant une peau

Responsable de l'éducation des enfants, la femme algonquienne leur transmet les valeurs. Elle s'occupe aussi de tous les travaux domestiques. Elle cueille les petits fruits, ramasse le bois de chauffage et entretient le feu pour la cuisson des aliments. Elle fait fumer et sécher le poisson et la viande.

Les Algonquiennes récupèrent le gros gibier abattu en forêt et le **débitent**. Elles prélèvent les peaux et les préparent pour la confection des vêtements. Elles recouvrent les wigwams d'écorce, cousent les canots et garnissent les raquettes. Les femmes savent également tresser des paniers de jonc et fabriquer des contenants d'écorce pour la préparation des repas.

Jamais les Algonquiens ne frappent leurs enfants, ni ne crient après eux, mais il semble qu'on leur manifeste peu de marques d'affection. Très jeunes, les enfants apprennent le partage, la générosité et la coopération. Les filles aident leur mère dans les tâches quotidiennes. Les garçons fabriquent des arcs, des flèches et des hameçons. Ils apprennent à chasser le petit gibier, comme l'écureuil, et participent aux travaux des hommes adultes.

Débiter : découper en morceaux.

Comme chez les Iroquoiens, les Algonquiens et les Algonquiennes ont chacun leurs responsabilités.

Savais-tu ?

Lors des déplacements en forêt, les femmes transportent tout leur bagage en plus de leur bébé. Les hommes se chargent du transport des canots, des avirons et des armes.

2 Voici une liste de tâches accomplies par les Algonquiens et les Iroquoiens vers 1500 ; indique à quelle(s) société(s) elles correspondent. Fais des X dans les cases appropriées.

		Algonquiens	Iroquoiens
a)	Les femmes et les filles s'occupent des travaux domestiques.		
b)	Les hommes pratiquent le troc.		
c)	Les femmes mariées quittent leur famille pour celle de leur époux.		
d)	Les femmes transmettent les valeurs aux enfants.		
e)	Les femmes ramassent le bois de chauffage.		
f)	Les femmes apprêtent les peaux.		
g)	Les hommes décident de l'organisation familiale.		
h)	Les femmes transportent tout leur bagage en plus de leur bébé lors des déplacements.		
i)	Les hommes mariés quittent leur famille pour celle de leur épouse.		
j)	Les hommes fabriquent les armes et les outils.		
k)	Les femmes entretiennent les champs.		
l)	Les hommes et les femmes construisent les canots.		
m)	Les jeunes garçons apprennent à chasser et à pêcher.		

INTÉGRATION

3 Quelles sont les deux différences dans l'organisation sociale des Algonquiens et des Iroquoiens ?

	Société iroquoienne	Société algonquienne
1)	....	....
2)	....	....

Thème 4

L'organisation politique

Comment les chefs algonquiens et iroquoiens sont-ils nommés ? Pour quelles raisons les choisit-on ?

PRÉPARATION . 1 À ton avis, quelles sont les qualités requises pour être responsable d'équipe ? Nomme deux qualités et explique ton choix en une phrase.

1) .... 2) ....

....

RÉALISATION .

Un chef pour tout

Au printemps, les Algonquiens se réunissent et s'installent près d'un grand cours d'eau. Ces grands rassemblements peuvent compter quelques centaines de participants. C'est l'occasion de commercer, d'organiser des jeux et de faire des rencontres. En automne, les Algonquiens se dispersent par petites bandes de dix à trente personnes. Ils se déplacent alors vers l'intérieur des terres, car les ressources se font rares.

La plupart des nations algonquiennes se divisent en bandes. Dans une bande, tous portent le même nom. Chaque bande nomme un chef, un homme aux grandes qualités. Il est généreux, sage et courageux. Ce chef algonquien a peu de privilèges et d'autorité, car tous les membres du groupe sont égaux.

En été, les chefs de bande se réunissent et forment le Conseil de la nation. Ils discutent des problèmes concernant la guerre, le commerce et la vie quotidienne. Les décisions du Conseil sont prises à l'unanimité.

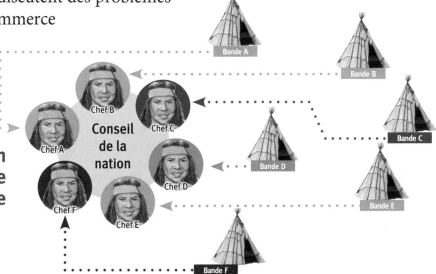

L'organisation politique algonquienne

2 Voici un jeu d'association pour mettre tes connaissances à l'épreuve.

a) Lis chacune des annonces suivantes.

b) Trouve à quelle société, iroquoienne ou algonquienne, se rapporte l'annonce et inscris son nom sur la ligne appropriée.

c) Inscris au bon endroit les noms de chef suivants : **chef de guerre, chef de bande, sachem**.

Nous recherchons un homme intelligent et honnête. Il devra être en mesure de prendre de sages décisions. Ses fonctions : faire respecter les lois à l'intérieur du village, s'occuper des différentes fêtes et des jeux de la communauté.

Les femmes du village.

Société : ....

Chef : ....

Besoin urgent d'un chef pour représenter la bande. Cette personne devra posséder les qualités suivantes : la sagesse, la générosité et le courage. Attention ! Ce poste ne donne aucun pouvoir spécial puisque tous les membres de notre société sont égaux. De bonnes connaissances du commerce, de la guerre et de la vie quotidienne sont requises.

Le clan de la Tortue est à la recherche d'un chef qui devra gagner son poste en démontrant sa bravoure et son courage lors des conflits. L'expérience sur le terrain est votre atout principal.

Société : ....

Chef : ....

Société : ....

Chef : ....

Guerre aux frontières

Compte tenu de l'immensité de leur territoire, les nations algonquiennes ont peu de contacts avec leurs voisins. Les conflits sont rares. Cependant, au sud, elles ont un ennemi redouté, la nation des Iroquois.

Savais-tu ?

Vers 1500, les Iroquois sont une des nations iroquoiennes.

Les combats sont sanglants. Les guerriers algonquiens utilisent des arcs, des flèches et des massues. Ils ramènent avec fierté les scalps arrachés aux ennemis tués. Les prisonniers capturés sont torturés et mis à mort, ou adoptés comme de nouveaux membres de la nation. Lorsqu'ils sont adoptés, les nouveaux membres du clan doivent participer aux travaux quotidiens et se battre aux côtés de leur nouvelle famille.

(page 7)

3 Sur la carte ci-contre, encercle le numéro qui correspond au territoire de la nation des Iroquois.

4 Encercle le mot qui convient pour compléter la phrase.

Les Iroquois, les ennemis des Algonquiens, vivent au (sud , nord).

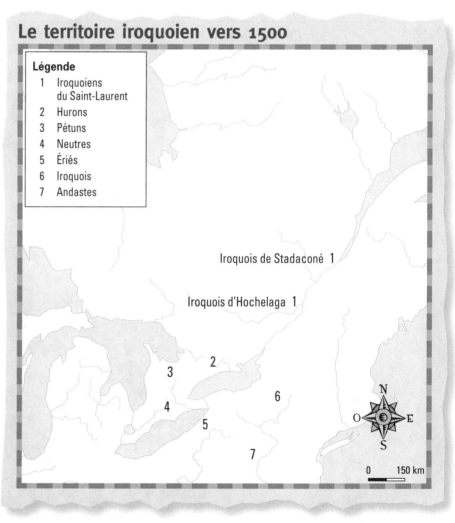

Le territoire iroquoien vers 1500

Légende
1 Iroquoiens du Saint-Laurent
2 Hurons
3 Pétuns
4 Neutres
5 Ériés
6 Iroquois
7 Andastes

Iroquois de Stadaconé 1

Iroquois d'Hochelaga 1

0 150 km

5 **a)** Qu'arrive-t-il aux prisonniers des Algonquiens qui ne sont pas mis à mort ?

....

b) Que doivent faire les nouveaux membres ?

....

INTÉGRATION

6 Transportons-nous en l'an 1500, quelque part à la limite des territoires iroquoien et algonquien. Imagine... De la forêt partout, pas un chant d'oiseau, seulement des pleurs qui s'élèvent là-bas dans le lointain. L'automne a été difficile. Dans un violent conflit, Hasaki, chef de bande algonquien, et Teganoet, sachem iroquoien, viennent de trouver la mort. D'un côté comme de l'autre, on regrette douloureusement la perte de ces hommes respectés. Cependant, l'hiver arrive à grands pas. Chacun de ces groupes amérindiens doit choisir un nouveau chef.

Explique comment chaque chef sera choisi et pourquoi.

Chef de bande	Sachem
....	....
....	....
....	....
....	....
....	....

Guerrier algonquien

Tomahawk

Attaque iroquoienne

Thème 5

Les activités saisonnières

Quels sont les moyens de subsistance des Algonquiens et des Iroquoiens ?

PRÉPARATION **1** Les façons de se procurer des aliments ont changé au cours des siècles. Indique par un «A» les situations d'aujourd'hui et par un «H» celles d'hier, vers 1500.

RÉALISATION

La fourrure, monnaie d'échange

Durant l'été, les Algonquiens commercent avec les autres nations algonquiennes ou iroquoiennes. Ils obtiennent ainsi les biens qui font défaut dans leur milieu naturel. La fourrure est leur principale monnaie d'échange. Ils troquent des peaux de bête et des canots contre des grains et de la farine de maïs, du tabac, des filets de pêche et des wampums. Les médicaments algonquiens sont aussi très appréciés par les nations du sud.

La rivière des Outaouais, la Saint-Maurice et la Saguenay sont des routes commerciales très fréquentées par les Algonquiens.

Les routes commerciales algonquiennes

Manier : conduire.

Watap : fine racine d'épinette utilisée pour coudre l'écorce de bouleau.

Pour parcourir les innombrables rivières du territoire amérindien, le canot algonquien est un moyen de transport parfaitement adapté. Certaines embarcations accommodent deux personnes, et d'autres, plus grandes, portent une famille entière avec chiens et bagages. Résistant, le canot est léger et facilement transportable. Sur l'eau, il se **manie** à merveille.

Sa construction demande près de deux semaines de travail. À l'aide de **watap**, la femme coud des morceaux d'écorce de bouleau sur l'armature de cèdre, assemblée par l'homme. Par la suite, on enduit les coutures de gomme de conifère chaude pour les rendre étanches.

La durée de vie de ce type de canot est de cinq à six ans. La forêt, toujours présente, fournit les matériaux nécessaires aux réparations.

Fabrication d'un canot d'écorce de bouleau

2 Les sociétés iroquoiennes et algonquiennes pratiquent le troc. Nomme trois biens échangés par chaque société.

Biens échangés par les Iroquoiens	Biens échangés par les Algonquiens
1)	1) ....
2)	2) ....
3)	3) ....

Sur la piste

Les hommes algonquiens pratiquent la chasse toute l'année. Chaque famille a son territoire, délimité de façon naturelle par un cours d'eau, une **clairière** ou une colline. Dès l'âge de huit ans, les jeunes garçons accompagnent leur père dans la forêt.

Le gros gibier tel que l'orignal, l'ours et le caribou occupe une place importante dans l'alimentation algonquienne. Il est chassé surtout l'hiver. Lorsque la neige est abondante, la traque de l'orignal est plus facile, car l'animal a de la difficulté à se déplacer. Les Algonquiens repèrent sa piste et le poursuivent en raquettes. Ils épuisent la bête et la harponnent.

Chasse à l'orignal

Durant l'automne et à la fin de l'hiver, les hommes en profitent pour attraper la loutre et le castor à l'aide de pièges, de filets ou de lances. La trappe, ou assommoir, est l'un des pièges les plus populaires. Lorsque l'animal est sur le point de saisir l'**appât**, un mécanisme se déclenche et laisse tomber une pièce de bois qui le tue sur le coup. Ces périodes de l'année sont aussi l'occasion de chasser les oiseaux migrateurs comme l'oie blanche.

Le petit gibier, comme le lièvre et la perdrix, est capturé avec des **collets** posés à divers endroits de la forêt. Quelquefois, ces petits animaux sont abattus à l'aide d'arc et de flèches.

Clairière : endroit sans arbres dans une forêt.

Appât : nourriture qui sert à attirer les animaux pour les capturer.

Collet : nœud coulant fait de fibres végétales.

Les techniques de chasse au gros gibier chez les Iroquoiens et les Algonquiens se ressemblent.

Trappe

3 Dessine et décris une chasse à l'orignal pratiquée par les Algonquiens en hiver.

....

....

4 Dessine et décris la technique du rabattage pratiquée chez les Iroquoiens.

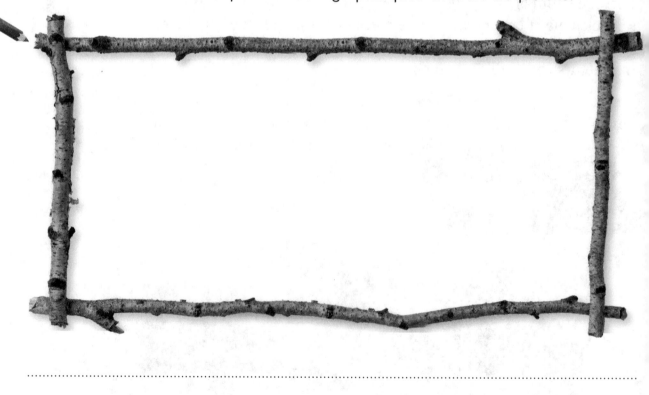

....

....

Au bord de l'eau

La pêche assure aux Algonquiens une large part de leur subsistance. Elle se pratique surtout en été. Les Algonquiens pêchent au filet, à la ligne et au harpon. Ils prennent de l'esturgeon, du saumon, du brochet et bien d'autres espèces de poisson. Sur les côtes de l'océan Atlantique, certains groupes chassent aussi le phoque.

À la même période, la cueillette des petits fruits et des plantes a lieu près des emplacements de pêche. On y trouve des plantes médicinales comme le gingembre sauvage, des plantes comestibles comme l'ail des bois, et d'autres végétaux utiles comme le jonc.

En hiver, les Algonquiens creusent des trous dans la glace pour pêcher le poulamon, aussi appelé aujourd'hui petit poisson des chenaux. Ce type de pêche se pratique avec des filets. Les pêcheurs attirent aussi d'autres poissons à l'aide d'un leurre pour les attraper au harpon. Certains harpons, conçus pour la pêche en profondeur, mesurent jusqu'à huit mètres.

Récolte de petits fruits •

Comestible : qui se mange.

Leurre : objet servant à attirer les poissons.

• Gingembre sauvage

Ail des bois •

Pêche sous la glace •

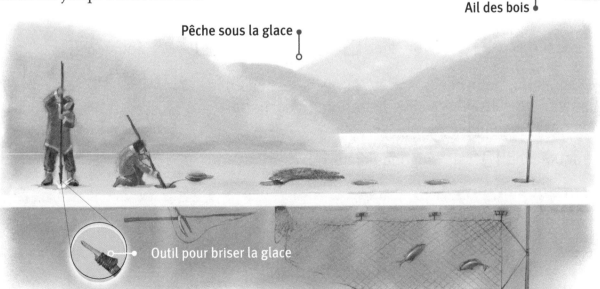

Outil pour briser la glace

Les femmes font sécher les surplus de fruits et de poisson. Afin de conserver le poisson plus longtemps, les Algonquiennes les placent dans un **fumoir** ou sur des **râteliers** au soleil. Certaines viandes, comme celle de l'orignal, sont aussi séchées et fumées pour la conservation.

Fumoir : gril de bois, sous un abri de peaux ou d'écorce, qui sert à exposer les poissons et la viande à la fumée.

Râtelier : support de bois destiné au séchage de certains aliments.

Fumoir ●—○

5 Vers 1500, les Amérindiens ne trouvent pas leur nourriture à l'épicerie ! Ils sont nombreux à compter sur la pêche.

   a) Choisis une saison de pêche.   Été ☐   Hiver ☐

   b) Quelles techniques de pêche sont utilisées durant la saison choisie ?

   Filet ☐   Ligne à pêche ☐   Harpon ☐

   c) Quelles espèces de poisson pêche-t-on ?

   Esturgeon ☐   Brochet ☐   Poulamon ☐   Saumon ☐

6 D'après toi, pour quelle société la pêche est-elle une activité de subsistance plus importante ? Coche ta réponse et complète la phrase.

Les Iroquoiens et les Algonquiens ont différents moyens de subsistance.

Iroquoienne ☐   Algonquienne ☐

Parce que ....

....

....

....

Les maîtres du déménagement

Les Algonquiens sont passés maîtres dans l'art de se déplacer au gré des saisons et de leurs besoins. Le canot d'écorce de bouleau est leur principal moyen de transport. Là où la rivière n'est pas navigable à cause d'une chute, on fait du portage. Dans les sentiers, les hommes portent le canot et les armes. Les femmes transportent leur matériel à l'aide de colliers de charge. Les mères placent leur bébé dans une nagane, par-dessus les autres bagages.

Nagane : mot d'origine algonquienne signifiant porte-bébé.

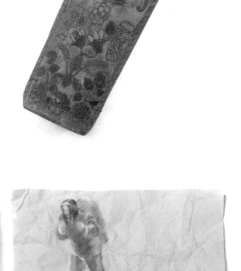

Nagane

Famille algonquienne faisant du portage

Chien tirant un toboggan

En hiver, toute la bande parcourt de longues distances à pied pour trouver le gibier. Le toboggan étroit facilite leur passage entre les arbres. Les Algonquiens sont si habiles avec des raquettes qu'ils peuvent aussi bien sauter que courir dans la neige.

Les Algonquiens ne pourraient pas se passer de leurs chiens. Ces animaux domestiqués couchent avec eux, les accompagnent à la chasse ainsi qu'à la pêche. Lors des déplacements, les chiens transportent de lourdes charges.

7 Observe ces deux illustrations. Complète la fiche.

Société	
....	....
Matériaux de fabrication	
....	....
....	....
Différences	
....	
....	
....	

INTÉGRATION

8 **a)** Indique quelle société est représentée sur chaque illustration.

b) Relie par un trait les phrases à la bonne société.

Société : .... **A**

Société : .... **B**

❶ Ils utilisent beaucoup les rivières Saguenay, des Outaouais et Saint-Maurice pour se déplacer lors des expéditions de commerce.

❷ Leurs canots sont lourds et ne durent pas longtemps.

❸ Les mères portent leur bébé dans une nagane afin de se déplacer facilement.

❹ Les chiens les aident à transporter de lourdes charges.

Les réalités culturelles

Thème 6

La vie quotidienne des Algonquiens est-elle différente de celle des Iroquoiens ?

 **PRÉPARATION · 1** Observe les vignettes. Indique, par un crochet, si la vie des Algonquiens est semblable ou différente de celle des Iroquoiens.

Algonquiens	Iroquoiens

a) La préparation des repas.

Semblable ☐

Différente ☐

b) Les objets liés aux croyances.

Semblables ☐

Différents ☐

c) La tenue vestimentaire.

Semblable ☐

Différente ☐

RÉALISATION

La marmite d'écorce

Les Iroquoiennes déposent leurs marmites d'argile dans le feu ou les suspendent au-dessus du feu pour faire cuire les repas.

La viande et le poisson sont à la base de l'alimentation algonquienne. À cela s'ajoutent des plantes, des noix, des racines, des œufs d'oiseaux et des fruits sauvages. Pendant l'hiver, lorsque la chasse est moins fructueuse, les Algonquiens doivent manger des aliments séchés ou fumés, de la purée de maïs et parfois même l'intérieur de l'écorce de certains arbres.

Marmite d'écorce

Les Algonquiens mangent peu. Ils ne prennent pas plus de deux repas par jour : un repas léger le matin et un autre plus copieux le soir.

La viande est servie grillée ou bouillie. Les femmes utilisent des récipients d'écorce de bouleau remplis d'eau. Pour chauffer cette eau, elles y plongent des pierres rougies par le feu.

Méthode de cuisson iroquoienne

Méthode de cuisson algonquienne

2 **a)** Décris la méthode de cuisson algonquienne.

....

....

b) Pourquoi les Algonquiennes fonctionnent-elles de cette façon, d'après toi?

....

....

Le corps en fête

Selon les régions, les vêtements des Algonquiens sont faits de peaux d'orignal, de caribou, de cerf, de phoque, de castor ou de lièvre. Pour coudre les peaux, les femmes utilisent des aiguilles d'os et des tendons d'animaux. Des piquants de porc-épic et des poils d'orignal teints décorent les vêtements.

Les habits les plus courants pour l'homme et la femme sont la tunique, le pagne, les jambières et les mocassins. Les femmes portent parfois la jupe. En hiver, les Algonquiens se couvrent de capes, enfilent des manches détachables ainsi que des moufles de fourrure.

Les Algonquiens accordent beaucoup d'importance aux tatouages, aux peintures corporelles, aux parures et aux bracelets. Ils portent leurs wampums lors de cérémonies ou lors des fêtes de départ pour la guerre. Les femmes peignent et huilent les cheveux des hommes et des enfants avec de la graisse animale. Le bandeau autour de la tête est d'usage fréquent.

Corporel : relatif au corps humain.

Algonquiens en costume d'hiver

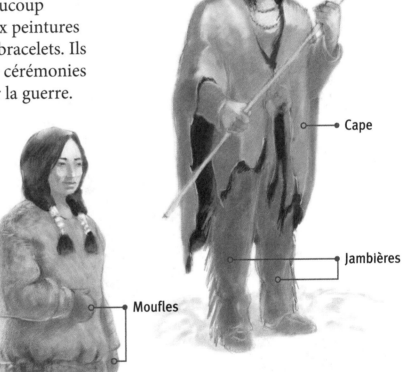

Cape

Jambières

Moufles

Tunique

Mocassins

Savais-tu ?

Les jeunes hommes et les enfants sont souvent peu habillés l'hiver. Leur corps a développé une grande résistance au froid. Il n'est pas rare d'en voir aller nu-pieds !

3 **a)** Observe les vêtements laissés au bord de l'eau. Sont-ils portés par les Iroquoiens ou par les Algonquiens? Inscris le numéro du vêtement près de la bonne habitation. Tu peux placer le même numéro près des deux habitations.

A Tunique

B Pagne

C Jambières

D Mocassins

E Cape de fourrure

F Jupe

G Wampum

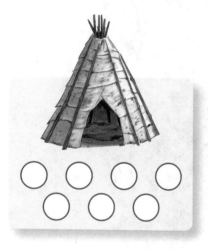

b) Que remarques-tu au sujet des vêtements portés par les deux sociétés?

....

....

....

Manitou, l'esprit de toute chose

Une grande partie des croyances algonquiennes est liée à la chasse. Les Algonquiens vouent un grand respect à l'esprit des animaux. De façon générale, ils croient que toute chose est habitée par un esprit. Ils appellent cette force le « manitou ». Le manitou d'un animal a le pouvoir de s'introduire dans une personne et de lui transmettre ses qualités. Par exemple, l'ours donne le courage et la fierté.

Les Algonquiens accordent beaucoup d'importance aux rêves et aux visions. Pendant le sommeil, ils croient que leur âme voyage à l'extérieur du corps et parle avec l'esprit des ancêtres, des animaux et des objets.

À l'adolescence, l'Algonquien se retire en forêt, seul, à la quête d'une vision afin de trouver le manitou qui veillera sur lui pour le reste de sa vie. À partir de ce moment-là, il confectionne son sac de médecine. Il y met une dent, un os, une griffe ou toute **amulette** qui représente l'esprit protecteur. Les Algonquiens pensent qu'en jouant du tambour, en dansant et en utilisant le tabac, ils renforcent leur manitou.

Le chaman algonquien est à la fois un médecin et un **devin**. Il soigne les malades avec les plantes et interprète les rêves. Il communique avec les esprits, aide à retrouver les objets ou les personnes, et prédit si la chasse sera bonne.

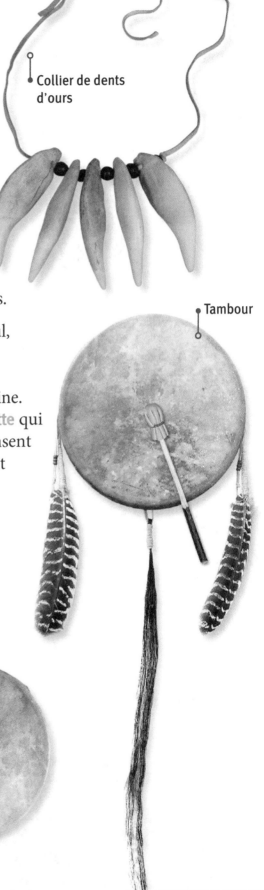

Collier de dents d'ours

Tambour

Amulette : petit objet que l'on porte sur soi et auquel on attribue un pouvoir magique de protection.

Devin : personne qui prétend prédire l'avenir et découvrir les choses cachées.

INTÉGRATION

4 Un chaman iroquoien et un chaman algonquien doivent se rendre auprès d'une personne malade. Parcourant leur territoire, ils partent pour une expédition de plusieurs jours. Ils apportent avec eux de la nourriture, des vêtements pour le froid et des objets reliés à leurs croyances.

Complète les listes des deux chamans.

Chaman iroquoien
Nourriture
Farine et pain de maïs, poisson séché ou fumé, noix.
Vêtements
....
Objets reliés aux croyances
Plantes, masque de bois, hochet en carapace de tortue, sac à tabac, tabac.

Chaman algonquien
Nourriture
....
Vêtements
Cape, manches détachables, moufles de fourrure.
Objets reliés aux croyances
....

Thème 7

Les éléments de continuité

Quelle est l'influence des sociétés iroquoienne et algonquienne sur celle d'aujourd'hui ?

PRÉPARATION **1** Parmi les photographies ci-dessous, quelles sont celles qui représentent une influence amérindienne dans la vie d'aujourd'hui ? Coche tes réponses.

a)

☐

b)

☐

c)

☐

d)

☐

RÉALISATION

L'archéologie, l'histoire sous la terre

Truelle : outil fait d'une lame en triangle et d'un manche.

Artefact : objet fabriqué ou utilisé par un être humain.

Le travail de l'archéologue consiste à fouiller le sol pour réunir des indices sur le mode de vie des sociétés anciennes. L'archéologue mène une enquête comme un détective. Il faut faire de longues recherches pour trouver un site. Avant de creuser le sol, l'archéologue et son équipe font un plan, prennent des photos et délimitent le lieu de fouille. Le travail de ces spécialistes demande beaucoup de patience et de persévérance. Chaque membre de l'équipe utilise une **truelle**, un tamis et un pinceau. Le moindre petit objet trouvé, que l'on nomme **artefact**, est recueilli et numéroté. Il servira d'indice pour reconstituer un mode de vie passé.

Fouille archéologique

Objets du passé

Afin de mieux comprendre le mode de vie des Amérindiens vers l'an 1500, les historiens ont besoin de l'archéologie. Les découvertes archéologiques permettent de reconstituer des villages iroquoiens et des campements algonquiens. De même, les objets plus récents, conservés dans les musées, nous parlent de ces sociétés. Voici quelques exemples :

◄ Sculptées dans la pierre ou dans les os d'animaux, des pointes de flèche et de harpon se retrouvent fréquemment sur les sites de fouille.

L'écorce de bouleau ► est une matière souvent utilisée dans la fabrication de récipients.

Ce mortier taillé dans un tronc d'arbre sert à piler les grains de maïs. Le pilon peut atteindre deux mètres de long.

◄ Les chasseurs appellent l'orignal en imitant son cri. Ils utilisent un appeau comme celui-ci, fait en écorce de bouleau roulée.

2 Complète les phrases suivantes à l'aide de la banque de mots.

- **mode de vie** • **archéologues** • **Iroquoiens** • **artefacts**
- **Algonquiens** • **sol** • **musées** • **sociétés**

a) Les .... sont des chercheurs qui fouillent le ....
à la recherche d'indices sur le mode de vie des .... anciennes.

b) Les objets qu'ils trouvent sont des ....

c) Ces découvertes aident à comprendre le ....
des .... et des ....

d) Certains de ces objets sont conservés dans des ....

Testament d'un peuple

Grâce à la **tradition orale**, les Amérindiens ont transmis leurs connaissances du territoire à ceux qui leur ont succédé. Lis ce témoignage d'une femme amérindienne à sa fille.

Tradition orale : ensemble des savoirs et des récits transmis par la parole, de génération en génération.

Touladi : poisson du Québec aussi appelé truite grise.

« Ma fille, comme ma mère me l'a transmis il y a plusieurs lunes, je te confie le testament de notre peuple. Tu devras à ton tour le transmettre à ta fille et le partager avec les peuples qui nous entourent.

Je te lègue des savoirs techniques sur la fabrication des canots et des raquettes ainsi que sur la culture du maïs. Avec le canot, tu navigueras sur l'eau. Avec les raquettes, tu profiteras du grand air et tu te déplaceras facilement sur la neige. Si tu fais éclater des grains de maïs sur le feu, tu obtiendras une friandise appréciée de tous.

Je te lègue aussi des savoirs sur les plantes. Tu prépareras des tisanes et des onguents qui soulageront la douleur et certains malaises. Tu cuisineras de délicieux plats avec le riz sauvage.

Je te lègue aussi des mots toujours vivants qui nous parlent de notre territoire, de ses richesses et de nos objets. Canada, « village », Chicoutimi, « fin des eaux profondes », Gaspé, « extrémité ». **Touladi**, ouaouaron, wapiti, caribou, babiche, toboggan, mocassin, totem.

Pour terminer, je te lègue un sirop doré. Ce n'est plus tout à fait cette eau que récoltaient nos ancêtres, mais je suis sûre qu'il saura plaire à toutes les générations qui nous succéderont. »

INTÉGRATION

3 Dans le texte de la page précédente, trouve quatre éléments d'aujourd'hui qui viennent des sociétés amérindiennes.

....

....

....

page 7

4 Sur la carte ci-dessous, repère la famille amérindienne la plus près de ta région. Est-ce la même famille qui habitait la région vers 1500?

....

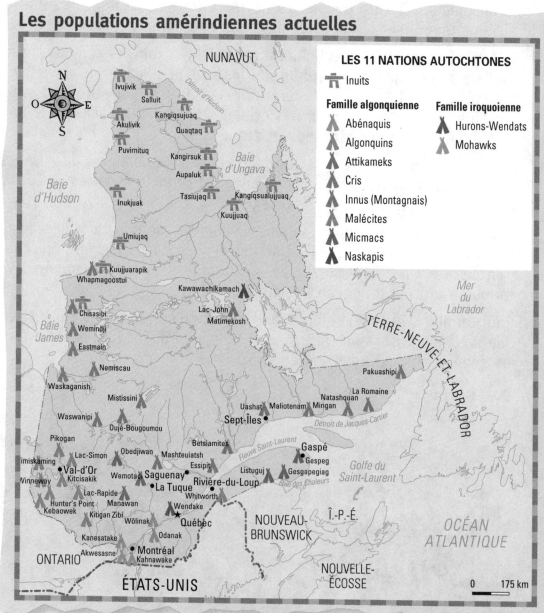

Les populations amérindiennes actuelles

LES 11 NATIONS AUTOCHTONES

Inuits

Famille algonquienne
- Abénaquis
- Algonquins
- Attikameks
- Cris
- Innus (Montagnais)
- Malécites
- Micmacs
- Naskapis

Famille iroquoienne
- Hurons-Wendats
- Mohawks

TRACES

1 Complète la carte ci-contre.

   a) Complète le titre.

   b) Colorie les trois zones de végétation de la bonne couleur.

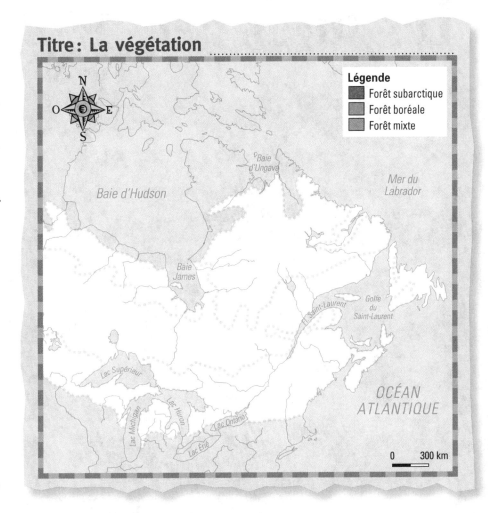

Titre : La végétation

Légende
- ◼ Forêt subarctique
- ◻ Forêt boréale
- ◻ Forêt mixte

Baie d'Ungava

Mer du Labrador

Baie d'Hudson

Baie James

fl Saint-Laurent

Golfe du Saint-Laurent

Lac Supérieur

Lac Huron

Lac Michigan

Lac Ontario

Lac Érié

OCÉAN ATLANTIQUE

0   300 km

2 Relie par un trait les mots suivants à la bonne définition.

   a) Nomade   • Société où l'autorité du père est importante.

   b) Ressources naturelles   • Population sans habitation fixe, qui se déplace au fil des saisons.

   c) Wigwam   • Habitation en forme de cône dont la structure faite de longues perches est recouverte d'écorce.

   d) Patriarcale   • On les retrouve dans la nature, par exemple les poissons, les arbres, l'eau, etc.

   e) Troc   • Échange sans l'utilisation de la monnaie.

ESCALE 4

Les Incas vers 1500

1100
Manco Capac,
1er chef inca

-1/1   500   1000

PROJET

Les technologies amérindiennes

Une entreprise de ta région veut concevoir un logiciel qui permet de comparer les technologies mises au point par diverses nations amérindiennes. L'équipe de recherche a besoin de ton aide.

Prépare une présentation sur les technologies développées par les Incas et les Iroquoiens vers 1500.

Choisis un thème que tu aimerais approfondir. Voici des suggestions :

▶ transport ;

▶ habitation ;

▶ agriculture.

Compare les techniques des Incas et des Iroquoiens dans le domaine choisi. Prépare de petites fiches explicatives qui te serviront de support visuel. Présente le résultat de tes recherches à tes camarades de classe.

1400
Début des conquêtes incas

1532
Victoire des Espagnols sur les Incas

1500

2000

Thème 1

Le territoire, les ressources naturelles et les transports

Les territoires inca et iroquoien se ressemblent-ils ? Les Incas et les Iroquoiens possèdent-ils les mêmes techniques et les mêmes connaissances scientifiques ?

PRÉPARATION Voici une série de photographies du Pérou. Examine-les bien et réponds aux questions suivantes :

1   **a)** Coche le type de relief montré sur la photo n° 1.

     Plaine. ☐   Montagne. ☐   Colline. ☐

     b) D'après tes connaissances, est-ce que ce sont des nations algonquiennes ou des nations iroquoiennes qui habitent sur ce même genre de territoire ? Coche ta réponse.

     Nations iroquoiennes. ☐

     Nations algonquiennes. ☐

2   **a)** Observe la photo n° 2. De quel animal s'agit-il ?

     Dromadaire. ☐   Puma. ☐   Lama. ☐

     b) Nomme un moyen de transport utilisé dans ta municipalité.

     ....

3   **a)** Coche le type de forêt représenté sur la photo n° 3.

     Toundra. ☐   Forêt tropicale. ☐   Forêt boréale. ☐

     b) Nomme un type de forêt que l'on retrouve au Québec.

     ....

     ....

Nom : .... Date : ....

Des millions sur une terre montagneuse

L'origine des Incas est enveloppée de mystère. On pense qu'ils viennent des environs du lac Titicaca ou de la plaine de l'Amazonie. Au 12ᵉ siècle, chassés par des groupes ennemis, ils se sont installés dans les montagnes du Pérou. Petit à petit, ils ont conquis les peuples voisins. Les Incas ont aussi imposé leur langue, le quechua. Au début du 16ᵉ siècle, l'Empire inca est peuplé de 12 000 000 d'habitants. Il s'étend sur 4 000 kilomètres le long de la cordillère des Andes et couvre une superficie de 950 000 kilomètres carrés.

Savais-tu ?

Le lac Titicaca est le lac le plus élevé du monde, par rapport au niveau de la mer.

L'Amérique

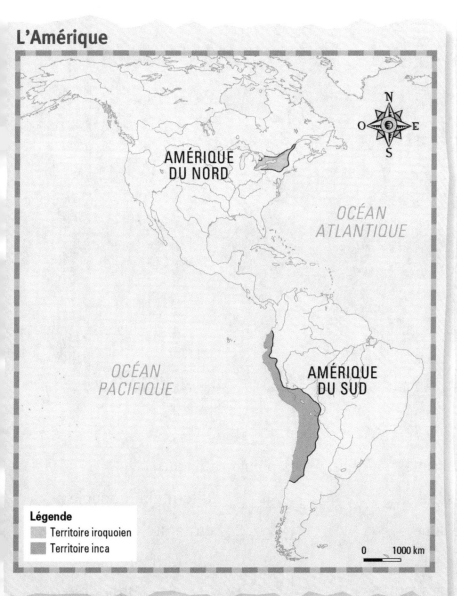

AMÉRIQUE DU NORD

OCÉAN ATLANTIQUE

OCÉAN PACIFIQUE

AMÉRIQUE DU SUD

Légende
- Territoire iroquoien
- Territoire inca

0   1000 km

Le territoire inca vers 1500

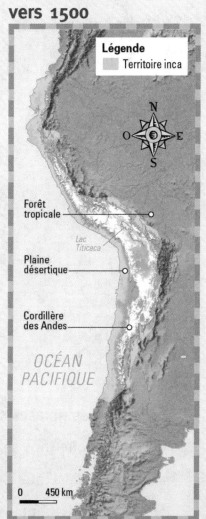

Légende
- Territoire inca

Forêt tropicale

Lac Titicaca

Plaine désertique

Cordillère des Andes

OCÉAN PACIFIQUE

0   450 km

4 Dans les cercles sur la carte, inscris les chiffres correspondant aux éléments ci-dessous.

L'Amérique est un immense continent où, vers 1500, on retrouve un grand nombre de familles amérindiennes comme les Incas, les Algonquiens et les Iroquoiens.

L'Amérique

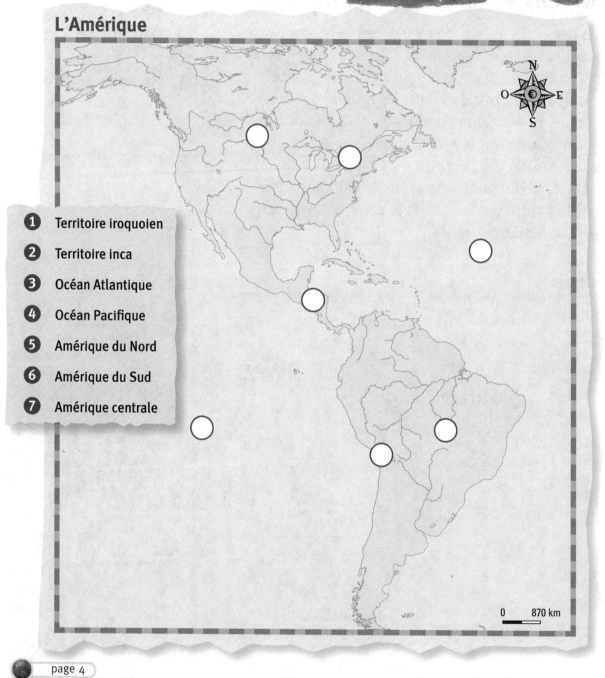

❶ Territoire iroquoien

❷ Territoire inca

❸ Océan Atlantique

❹ Océan Pacifique

❺ Amérique du Nord

❻ Amérique du Sud

❼ Amérique centrale

0   870 km

page 4

5 Complète les phrases suivantes en utilisant les points cardinaux.

a) Le territoire inca se situe .... du territoire iroquoien.

b) L'océan Pacifique se situe .... du territoire inca.

c) L'océan Atlantique se situe .... du territoire inca.

d) Le territoire iroquoien se situe .... du territoire inca.

Une faune et une flore pour chaque paysage

Le long territoire inca regroupe des paysages très différents. Le climat varie considérablement du nord au sud. La température change aussi en fonction de l'**altitude**.

Située entre l'océan Pacifique et les montagnes, une longue plaine désertique s'étend sur toute la longueur du territoire. Les sommets les plus élevés de la **cordillère** des Andes peuvent atteindre 6000 mètres et sont toujours enneigés. Entre ces montagnes se trouvent de hauts plateaux coupés par des vallées profondes. Le climat tempéré et chaud de ces vallées est favorable à l'agriculture. Le **versant** est de la cordillère est recouvert de forêts tropicales au climat chaud et humide.

Altitude : hauteur par rapport au sol ou par rapport au niveau de la mer.

Cordillère : chaîne de montagnes.

Versant : côté d'une montagne.

Guanaco : lama sauvage.

Plaine désertique

Cordillère des Andes

Vallée des Andes

Forêt tropicale

Perroquet

Tapir

Paysage	Faune	Flore
Océan Pacifique	Mammifères marins : baleine, phoque, otarie. Poissons et crustacés : anchois, sardine, flétan, maquereau, crevette, homard, coquillage.	
Plaine côtière désertique	Reptiles. Oiseaux : albatros, mouette, cormoran, pélican.	Végétation rare, arbustes, coton.
Cordillère des Andes	Mammifères : renard, puma, lama, alpaga, vigogne, guanaco, chinchilla, cochon d'Inde. Oiseaux : condor, vautour, colombe, canard.	Herbes, roseaux, eucalyptus. Maïs, pomme de terre, haricot, avocat, piment, cacahuète, tomate, quinoa, coca.
Forêt tropicale	Mammifères : jaguar, tatou, pécari, tapir, fourmilier, singe. Reptiles : alligator, serpent. Oiseaux : perroquet.	Balsa, lianes, hévéa, tabac. Goyave, papaye, banane, ananas, cactus.

6 Trouve les réponses aux questions suivantes. Reporte ensuite ces réponses dans le mot en escalier ci-après.

a) Peuple dont il est question dans cette Escale. ....

b) Nom de la chaîne de montagnes sud-américaine située près de l'océan Pacifique. Cordillère des ....

c) Il varie beaucoup en fonction de l'endroit où l'on se trouve. ....

d) Le climat de celles-ci est favorable à l'agriculture. ....

e) Hauteur d'un endroit par rapport au sol ou au niveau de la mer. ....

f) Type de forêt typique du versant est de la cordillère. Forêt ....

a)					
b)					
c)					
d)					
e)					
f)					

7 Imagine une rencontre entre un Inca et une Iroquoienne vers 1500. Comment ces deux personnes décrivent-elles leur territoire ?

Remplis le tableau suivant. Donne un exemple pour chacun des éléments des territoires inca et iroquoien.

Éléments du territoire	Inca	Iroquoien
Relief	....	....
Type de forêt	....	....
Faune	....	....
Nombre d'habitants	....	....

Un peuple de marcheurs

Les Incas sont un peuple de marcheurs.
Ils transportent leurs biens à l'aide de lamas,
de colliers de charge, ou simplement de sacs
passés sur l'épaule. Comme ils ne connaissent
pas la roue, ils se déplacent à pied sur
un impressionnant réseau routier de près
de 23 000 kilomètres. Les larges chemins
de pierre traversent tout l'Empire en passant
par les montagnes, les déserts et les plateaux.
Lorsque la pente est trop raide, les Incas
aménagent des escaliers. Ces voies servent
surtout aux militaires, aux représentants du
gouvernement et aux messagers. Le long des routes
principales, les voyageurs peuvent se reposer dans
des abris. Ces haltes se nomment des *tampus*.

Pour traverser les **gorges** et les cours d'eau, les Incas
fabriquent des ponts de **lianes** tressées. Ces ponts
suspendus peuvent supporter le poids d'une troupe
de soldats et d'une caravane de lamas chargés de
marchandises. Pour assurer la sécurité des voyageurs,
les ponts sont régulièrement inspectés.

Route inca

Gorge : vallée étroite
et très profonde.

Liane : plante grimpante
de la forêt tropicale.

Savais-tu ?

Pour se déplacer sur
l'océan, les habitants
de la côte utilisent de
grands radeaux en bois
de balsa munis d'une
voile. Ils possèdent aussi
de petites barques de
roseau pour naviguer
sur les lacs des hauts
plateaux. Léger et
résistant, le roseau
flotte bien.

**Radeau
de balsa**

Pont suspendu

8 Remplis le tableau ci-dessous. Fais des X dans les cases appropriées.

Transport et voies de communication	Incas	Iroquoiens
a) Le réseau routier s'étend sur près de 23 000 kilomètres.		
b) Le toboggan sert au transport des marchandises.		
c) Le roseau sert à la fabrication d'embarcations.		
d) Le canot d'écorce permet les déplacements sur l'eau.		
e) Les raquettes sont utiles pour se déplacer sur la neige.		
f) Ces Amérindiens préfèrent se déplacer en marchant.		
g) Les ponts suspendus servent à traverser des gorges.		
h) Le lama porte les marchandises.		
i) Le collier de charge facilite le transport des marchandises.		
j) Les routes sont pavées de pierre.		

INTÉGRATION

9 Complète les phrases suivantes à l'aide de la banque de mots.

- **routes**
- **Incas**
- **canots d'écorce**
- **Amérique du Nord**
- **à pied**
- **Saint-Laurent**
- **escaliers**
- **Iroquoiens**
- **lacs**
- **Grands Lacs**
- **Amérique du Sud**
- **rivières**

a) Le territoire sur lequel habitent les .... et le territoire sur lequel habitent les .... influencent les techniques de ces deux familles amérindiennes.

b) Alors que le territoire inca se trouve en ...., celui des Iroquoiens se trouve en ....

c) Afin de communiquer entre eux, les Incas construisent des kilomètres de ...., sur lesquelles ils se déplacent ....

d) Les Incas construisent des .... si une pente est trop raide.

e) Les Iroquoiens utilisent des .... pour se déplacer sur les .... et les .... de la vallée du .... et de la région des ....

Thème 2

L'organisation politique et sociale

Qu'est-ce qui distingue l'organisation sociale des Incas de celle des Iroquoiens ?

PRÉPARATION

1 L'organisation sociale chez les Iroquoiens est :

a) Patriarcale. ☐   b) Matriarcale. ☐

2 Complète la phrase suivante.

Les .... ont beaucoup de pouvoir dans les villages iroquoiens.

RÉALISATION

Le fils du dieu Soleil

Le Sapa Inca gouverne son vaste empire depuis la ville de Cuzco. Son nom signifie « Inca unique ». Son peuple croit qu'il est le descendant du dieu Soleil. Le Sapa Inca est plus qu'un simple souverain, il est à la fois empereur, chef des armées et grand prêtre. Une grande partie des richesses, des terres et des personnes lui appartiennent. Ses ordres ne sont jamais discutés.

Souverain : chef qui exerce un pouvoir suprême sur son peuple.

Coya : sœur et première épouse du Sapa Inca.

Le Sapa Inca et son épouse, la Coya, vivent dans la richesse, entourés de leur imposante famille. Le Sapa Inca, sur le conseil des prêtres, choisit lui-même son successeur parmi les fils de la Coya. Les frères et les oncles du nouveau Sapa Inca deviennent ses conseillers ou les gouverneurs généraux des grandes régions de l'Empire.

La population inca est constamment surveillée par les représentants du Sapa Inca. « Ne sois pas menteur, ne sois pas voleur, ne sois pas paresseux » est un proverbe que tout Inca connaît bien.

Sapa Inca sur son trône

Nom : .... **Date :** ....

La pyramide sociale inca

Le Sapa Inca et la Coya ●─○

Les nobles ●─○

Les 4 *apus*,
gouverneurs
des régions ●─○

Les gouverneurs
des provinces ●─○

Les chefs
d'*ayllu* ●─○

Les gens du peuple ●─○

La société inca est organisée comme une pyramide où chacun connaît ses devoirs. L'Empire est partagé en quatre grandes régions, conduites par des *apus*. Chaque région est divisée en provinces, dirigées par un gouverneur. À la base de la société se trouvent les *ayllus*, des groupes de familles ayant un même ancêtre. L'*ayllu* est dirigé par un chef élu et un conseil de sages, formé de personnes âgées.

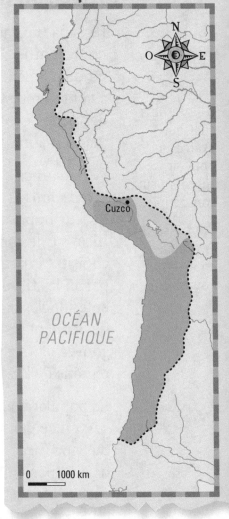

Les quatre régions de l'Empire inca

OCÉAN
PACIFIQUE

Cuzco

0   1000 km

Savais-tu ?

La ville de Cuzco est construite dans une vallée à environ 4000 mètres d'altitude. Cuzco, en langue quechua, signifie «nombril». C'est le centre de l'Empire inca. Les membres de la royauté vivent dans le centre. Près de 100 000 personnes habitent Cuzco.

3 Voici des témoignages d'un Sapa Inca et d'un sachem.
Complète-les à l'aide de la banque de mots.

- **armées**
- **conseil**
- **intelligence**
- **ordres**
- **femmes**
- **voleur**

- **unanimité**
- **générosité**
- **Empire**
- **menteur**
- **fils**
- **prêtre**

- **lois**
- **paresseux**
- **chef civil**
- **Soleil**
- **fêtes**
- **jeux**

a) Le Sapa Inca est un descendant du dieu ....

Le successeur du Sapa Inca est choisi parmi

les .... de la Coya. Personne

ne discute les .... du Sapa Inca.

Il veille sur tout l' ....

Il est à la fois empereur, chef des ....

et grand ....

Il existe un proverbe qui illustre bien les règles de vie inca :

« Ne sois pas ...., ne sois pas ....,

ne sois pas .... »

b) Le sachem est un .... Il est nommé par les ....

de son clan pour son .... ,

sa .... et sa capacité

à prendre de sages décisions.

Tous les sachems du village forment

le .... du village. Ils prennent

leurs décisions à l' ....

Les sachems font respecter les coutumes et les ....

Ils préparent les ...., les danses et les ....

Nourrisson

1 à 5 ans :
l'âge du jeu

6 à 9 ans :
les travaux
domestiques

9 à 12 ans :
l'aide aux
champs

12 à 18 ans :
les travaux
courants

18 à 25 ans :
les tâches
pénibles

25 à 50 ans :
les tâches
pénibles et
les impôts

50 à 60 ans :
rendre service

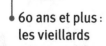

60 ans et plus :
les vieillards

À chaque âge sa tâche

Les Incas sont sédentaires, et la plupart d'entre eux cultivent leur coin de terre. La vie des femmes, des hommes et des enfants est toute tracée dès leur naissance. Les rôles se divisent en catégories bien précises.

Les jeunes filles deviennent adultes très tôt. Vers l'âge de dix ans, les plus belles quittent leur village pour devenir des « femmes choisies ». Elles se rendent dans des écoles près des grandes villes. Elles apprennent à cuisiner et à tisser une laine très fine pour la confection des vêtements du Sapa Inca et de la Coya.

Après leur formation, la plupart deviennent des servantes du Soleil pour aider les prêtres. Les autres jeunes filles sont données en mariage aux représentants du gouvernement, aux chefs militaires ou au Sapa Inca lui-même. Lui seul peut avoir plusieurs femmes.

Les autres filles demeurent au village. Elles apprennent à tisser, à cuisiner, à cultiver la terre et à élever les enfants. Elles peuvent se marier dès l'âge de 12 ans. La cérémonie du mariage est simple : les futurs mariés se tiennent la main et échangent des sandales.

Femme inca préparant un repas

Les jeunes garçons incas aident leurs parents aux champs. Ils apprennent à construire des maisons et à manier des armes comme la fronde. À 14 ans, ils deviennent adultes. Lors d'une cérémonie d'initiation, on leur remet un pagne pour marquer ce passage.

La plupart des jeunes hommes deviennent bergers, serviteurs ou agriculteurs. Les plus rapides à la course et les plus robustes deviennent les messagers du Sapa Inca. Ils parcourent de longues distances pour transmettre verbalement des informations. Entre 25 et 50 ans, ils sont tenus de payer des impôts en travail gratuit, de servir dans l'armée et dans la communauté.

Les artisans spécialisés forment une classe à part. Ils sont pris en charge par le gouvernement et ne paient pas d'impôts. Ils travaillent comme **tisserands**, **orfèvres**, potiers ou maçons.

Chez les Incas comme chez les Iroquoiens, les responsabilités sont partagées entre les hommes et les femmes.

Tisserand : ouvrier qui fabrique des tissus.

Orfèvre : fabricant d'objets en métaux précieux.

○——● Pièce d'orfèvrerie

Savais-tu ?

Les Incas tiennent leur comptabilité grâce à un système de cordelettes nouées, appelé quipu. La position et la taille des nœuds ainsi que la couleur et la longueur des cordelettes permettent d'enregistrer les marchandises qui entrent et sortent des entrepôts de l'Empire. Seuls des spécialistes peuvent interpréter ces cordelettes.

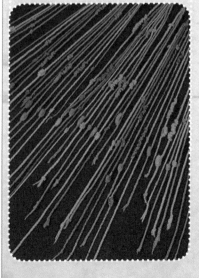

Artisan ●

4 Indique si les phrases suivantes présentent des étapes de la vie des garçons ou des filles incas. Écris chaque lettre au bon endroit.

a) Je sers dans l'armée du Sapa Inca.

b) J'aide les mères du village en m'occupant des enfants.

c) J'aide mes parents aux champs.

d) Je me marie bientôt à un important chef militaire.

e) À l'école que je fréquente, j'apprends à tisser la laine pour confectionner de magnifiques vêtements.

f) Aujourd'hui, j'ai reçu un pagne lors d'une cérémonie d'initiation.

g) J'apprends le métier d'orfèvre.

Filles					**Garçons**				

5 Les sociétés inca et iroquoienne ont des points communs et des différences. Trouve de qui ou de quoi il s'agit. Inscris la bonne réponse, en utilisant la banque de mots ci-dessous.

- **Femme iroquoienne**   • **Fille inca**   • **Garçon iroquoien**   • *Ayllu*
- **Femme ou fille inca**   • **Garçon inca**   • **Clan**

a) Je m'exerce au tir à l'arc pour devenir un courageux guerrier.

....

b) J'apprends à construire des maisons. ....

c) Je dois quitter mon village pour devenir une «femme choisie». ....

d) Je tisse la fine laine d'alpaga pour la confection des vêtements.

....

e) Je confectionne des vêtements avec des peaux d'animaux.

....

f) Un chef et un conseil de sages dirigent ce groupe familial inca.

....

g) Cette grande famille regroupe les occupants de plusieurs maisons longues.

....

Les dieux incas

Les Incas croient en plusieurs dieux. Le plus important est Viracocha, dieu créateur de tous les êtres vivants. Cependant, Inti, le dieu Soleil, est la divinité la plus adorée. Cet astre puissant procure la chaleur, la vie et la fertilité. Fils du Soleil, le Sapa Inca est lui-même considéré comme un dieu. Les Incas vénèrent aussi d'autres éléments de la nature comme la lune, la terre et le tonnerre.

Les prêtres s'occupent des temples et des cérémonies religieuses comme les fêtes d'initiation. Lors d'événements importants, on offre des plantes, des aliments ou des animaux aux dieux. Par exemple, le **sacrifice** d'un lama blanc est reconnu comme étant efficace contre une catastrophe naturelle. Dans des cas très graves, on a recours au sacrifice humain.

Les prêtres sont aussi devins et médecins. Ils utilisent la magie et les plantes médicinales pour soigner les malades. Certains pratiquent des chirurgies à l'aide de couteaux en pierre ou en métal.

Sacrifice : offrande à une divinité.

Momie : cadavre humain conservé par des techniques spéciales.

Savais-tu ?

Pour les Incas, les morts protègent les vivants. Les momies représentent la vie éternelle. On leur offre de la nourriture comme si elles étaient vivantes. Seules les personnalités les plus importantes, comme le Sapa Inca, sont momifiées. Dans le temple du Soleil à Cuzco, les momies incas sont assises sur des trônes en or massif et parées de riches vêtements.

Défilé de momies

6 Les croyances des Incas et des Iroquoiens sont très liées à la nature qui les entoure. Observe attentivement les images suivantes pour reconnaître les pratiques de chaque peuple. Inscris «Inca» ou «Iroquoien» sous chaque image.

a)

b)

c)

....

d)

e)

f)

....

INTÉGRATION **7** Remplis le tableau en indiquant une responsabilité pour chaque membre des sociétés iroquoienne et inca.

	Responsabilités dans la société inca	Responsabilités dans la société iroquoienne
Chef	Sapa Inca	Sachem
Prêtre ou chaman		
Hommes		
Femmes		

Les activités saisonnières et l'aménagement du territoire

Thème 3

Les techniques d'agriculture et de construction sont-elles les mêmes chez les Incas et les Iroquoiens ?

PRÉPARATION

1 Quel est ton mode de vie ?

a) Sédentaire. ☐   b) Nomade. ☐

2 Ton habitation convient-elle à ton mode de vie ? Explique pourquoi.

....

....

....

....

> *Vers 1500, les caractéristiques du territoire expliquent le mode de vie des familles amérindiennes de l'Amérique.*

RÉALISATION

Le partage de la terre

Chez les Incas, les deux activités de susbsistance les plus importantes sont l'agriculture et l'élevage. Leurs terres se divisent en trois catégories.

Terres des dieux

Les récoltes sont réservées aux fêtes et aux cérémonies religieuses.

Terres du Sapa Inca

Les récoltes sont réservées au Sapa Inca et à sa maisonnée.

Terres de l'*ayllu*

Les récoltes sont réservées aux paysans.

À tour de rôle, les paysans cultivent les terres des dieux et du Sapa Inca. Ils s'occupent aussi des parcelles de terre des personnes incapables de le faire, celles des personnes âgées par exemple.

Coca :
arbrisseau dont les feuilles mâchées agissent comme un stimulant pour lutter contre la faim, la fatigue ou la douleur.

Les Incas cultivent principalement le maïs et la pomme de terre. Ils plantent aussi de la **coca** pour les prêtres et le Sapa Inca. Comme leur territoire est situé dans l'hémisphère sud, les labours et les semis ont lieu en août et en septembre. Les récoltes se déroulent d'avril à juillet. Le surplus est emmagasiné dans les entrepôts du gouvernement pour les périodes difficiles.

Les Incas fertilisent le sol avec des excréments d'oiseaux. Pour labourer la terre, ils utilisent le *taclla*, une sorte de plantoir en bois.

Courge

Quinoa

Entrepôts

Maïs

Haricots

Mur de soutènement

Taclla

Pomme de terre

Pour cultiver les pentes des montagnes et les régions désertiques, les paysans incas ont développé la culture en terrasses et les canaux d'**irrigation**. Des murs en pierres retiennent le sol et forment d'immenses escaliers. Des **canalisations** amènent l'eau de la montagne jusqu'aux champs à cultiver. Ce système évite l'**érosion**, retient l'humidité et agrandit la surface à cultiver.

Les Incas élèvent le lama, le cochon d'Inde et l'alpaga. Le lama est d'abord utilisé pour le transport des marchandises et pour les sacrifices. La population n'en mange qu'à l'occasion de fêtes publiques. En revanche, les Incas consomment beaucoup de viande de cochon d'Inde. L'alpaga fournit une laine soyeuse, dont on fait divers vêtements.

Irrigation : arrosage des terres.

Canalisation : conduit qui distribue l'eau.

Érosion : usure lente du relief par l'eau, le vent ou le gel.

Coton

Avocats

Coca

Piments

Cacahuètes

Canal d'irrigation encore présent en Amérique du Sud

Alpaga

Savais-tu ?

Pour conserver les pommes de terre, les paysans les laissent geler, les écrasent pour extraire l'eau, puis les font sécher au soleil. Elles deviennent alors très légères et se gardent plusieurs années.

3 **a)** Voici les terres et les produits agricoles des Incas et des Iroquoiens. Observe attentivement ces dessins.

b) Trouve des ressemblances et des différences. Note-les dans le tableau au bas de la page.

Agriculture inca

Agriculture iroquoienne

Ressemblances	Différences
....	....
....	....
....	....
....	....
....	....

Des maisons simples

Les Incas vivent dans de petites maisons organisées en village et disposées autour d'une place. Les villages, entourés d'un rempart de pierres, sont construits près des champs, sur un sol rocailleux où rien ne peut pousser. Peu de gens habitent les villes qui abritent le gouvernement de la région. Chaque ville a ses entrepôts, son quartier des artisans, son temple du Soleil ainsi qu'un palais pour le Sapa Inca en visite.

La maison inca est toute simple, rectangulaire, et ne possède qu'une seule pièce. Solide, elle est faite en pierres taillées ou en adobe. Des rideaux de laine garnissent la fenêtre et la porte d'entrée. Il n'y a pas de mobilier. Les Incas dorment sur des nattes de roseaux, des peaux de lama ou des couvertures en laine à même le sol. Ils placent leurs idoles au mur, dans des niches. Quelques pierres disposées au centre forment le foyer. La fumée s'échappe à travers le toit de chaume.

Les Incas sont d'excellents tailleurs de pierre. Les blocs sont taillés à l'aide d'outils en pierre et sont polis avec du sable. Ils s'emboîtent les uns aux autres avec précision et n'exigent pas de mortier. Les toitures en forme de pignon sont recouvertes d'une épaisse couche de chaume posée sur des perches de bois.

Adobe : brique d'argile séchée au soleil.

Idole : statuette représentant une divinité.

Chaume : paille qui recouvre le toit d'une habitation.

Mortier : mélange de sable, d'eau et de chaux ou ciment qui sert à lier les pierres entre elles.

Mur de pierre

Habitation inca

4 Voici plusieurs éléments appartenant aux habitations incas et iroquoiennes. Place les numéros correspondant sous le profil amérindien approprié. Un même numéro peut être inscrit sous les deux profils.

Maison longue	Maison inca
○ ○ ○ ○ ○	○ ○ ○ ○ ○

Nom : .... Date : ....

5 En l'an 1500, les agriculteurs amérindiens mettent en œuvre des techniques de construction adaptées à leur territoire. Dessine une habitation idéale, inspirée à la fois des trouvailles inca et iroquoienne.

a) D'abord, remplis le tableau suivant.

	Territoire inca	Territoire iroquoien
Emplacement choisi pour leur habitation	....	....
Techniques de construction	....	....

b) À l'aide des éléments du tableau, dessine la maison idéale et ses environs. Sélectionne les techniques incas et iroquoiennes que tu trouves les plus ingénieuses.

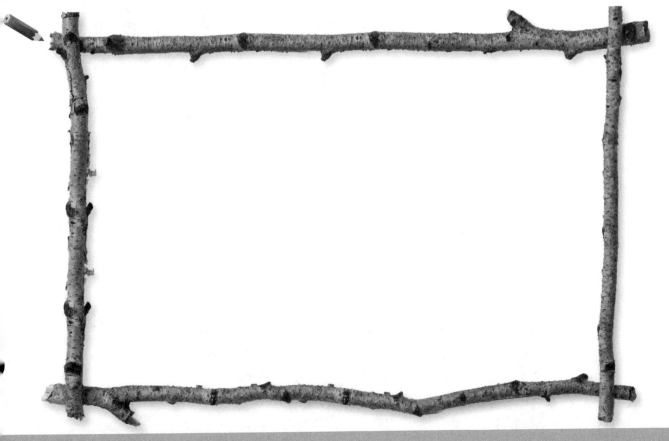

Les éléments de continuité

De quoi avons-nous hérité de la société inca ?

PRÉPARATION **1** Les Incas n'étaient pas les seuls à être ingénieux ! Au fil des ans, les habitants de ta région ont implanté des industries, des commerces et des services.

a) Nomme une industrie ou un service de ta région. ....

....

b) Décris cette industrie ou ce service. ....

....

c) Nomme un métier qui s'y rattache. ....

RÉALISATION ## Un héritage généreux

Regarde bien tout autour de toi. Prends le temps d'observer ce qui t'entoure. Une foule d'objets et de produits nous viennent du passé ou de pays lointains. Les Incas nous ont légué un héritage impressionnant qui a bouleversé le monde.

Les habitants des Andes cultivent la pomme de terre depuis déjà 4000 ans lorsque les Espagnols arrivent au 16e siècle. Elle sert alors de nourriture peu coûteuse pour les marins européens. La pomme de terre, *papa* en langue quechua, est nourrissante et facile à cultiver. Elle se répand petit à petit en Europe où elle améliore les conditions de vie de la population.

La tomate est originaire du Pérou. À l'époque des Incas, elle est jaune, pas plus grosse qu'une cerise et pousse comme de la mauvaise herbe. Au 16e siècle, l'Espagne et l'Italie adoptent ce fruit, qui **révolutionne** leur alimentation.

Pommes de terre et tomates

Révolutionner : transformer complètement.

Le quinquina est un arbre qui pousse dans les Andes. Les Incas utilisent son écorce pour combattre la fièvre. L'écorce de quinquina fournit la quinine, une substance qui connaît un grand succès en Europe. Jusqu'à nos jours, la quinine a permis de sauver un grand nombre de vies humaines.

Quinquina

Certaines inventions incas étaient déjà connues en Europe, comme le métier à tisser. Pour tisser, les Incas utilisent un métier portatif. Ces métiers à tisser sont encore en usage aujourd'hui en Amérique centrale et en Amérique du Sud.

Les Incas exploitent des mines d'or et d'argent. Ils recueillent aussi l'or en lavant le gravier des rivières. Les orfèvres du Sapa Inca fondent ces métaux et les transforment en statuettes, en vaisselle ou en plaques d'or pour recouvrir les édifices importants. Malheureusement, les Espagnols ont fondu la plus grande partie de ce trésor.

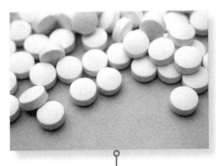
Pilules de quinine

Comme les Iroquoiens, les Incas ont développé des techniques originales adaptées à leur mode de vie et aux ressources de leur milieu.

Métier à tisser

Mine d'or

Figurine d'alpaga en argent

2 Complète les phrases suivantes et reporte les résultats dans le mot entrecroisé.

1) Les Incas exploitent des mines d'.. et d'or.

2) Les .... fondent les métaux et les transforment en divers objets.

3) L'écorce de quinquina est utilisée pour combattre la ....

4) La .... a permis de sauver plusieurs vies humaines.

5) La ...., à l'époque des Incas, est jaune et aussi petite qu'une cerise.

6) Ce fruit révolutionne l'alimentation en Espagne et en ....

7) La .... est cultivée dans les Andes bien avant l'arrivée des Européens.

8) Cet aliment peu coûteux nourrit les .... européens lors de leurs traversées.

INTÉGRATION **3** Dessine un produit ou une technique propre aux Incas. Explique ton choix en une ou deux phrases.

....

....

TRACES

1 Complète la carte. Construis une légende et reporte les couleurs sur le territoire approprié.

2 Encercle les bons mots pour compléter les phrases suivantes.

Le territoire des Iroquoiens se trouve au (nord – sud) de celui des Incas.

Le territoire inca est bordé par l'océan Pacifique, alors que celui des Iroquoiens est traversé par (l'océan Atlantique – le fleuve Saint-Laurent).

L'Amérique

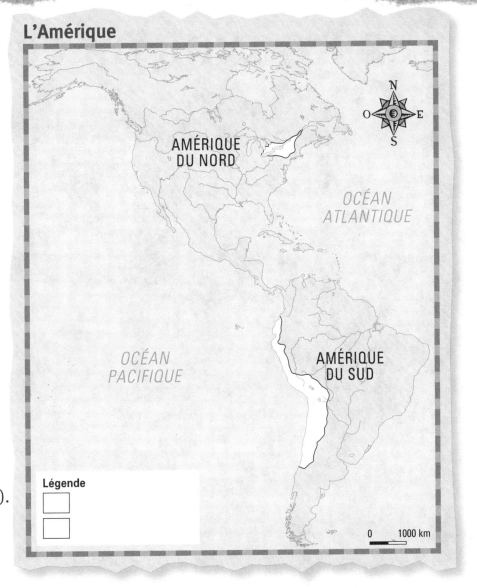

2 À l'aide du code de couleurs, indique à quelle société correspondent les illustrations.

 Iroquoiens vers 1500.   Incas vers 1500.

a)

b)

c)

d)

e)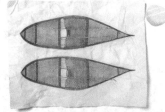

f)

ESCALE 5

Les Iroquoiens vers 1745

1534
1re rencontre de Jacques Cartier avec les Iroquoiens

1608
Fondation de Québec

1615
Arrivée des premiers missionnaires

1500

1550

1600

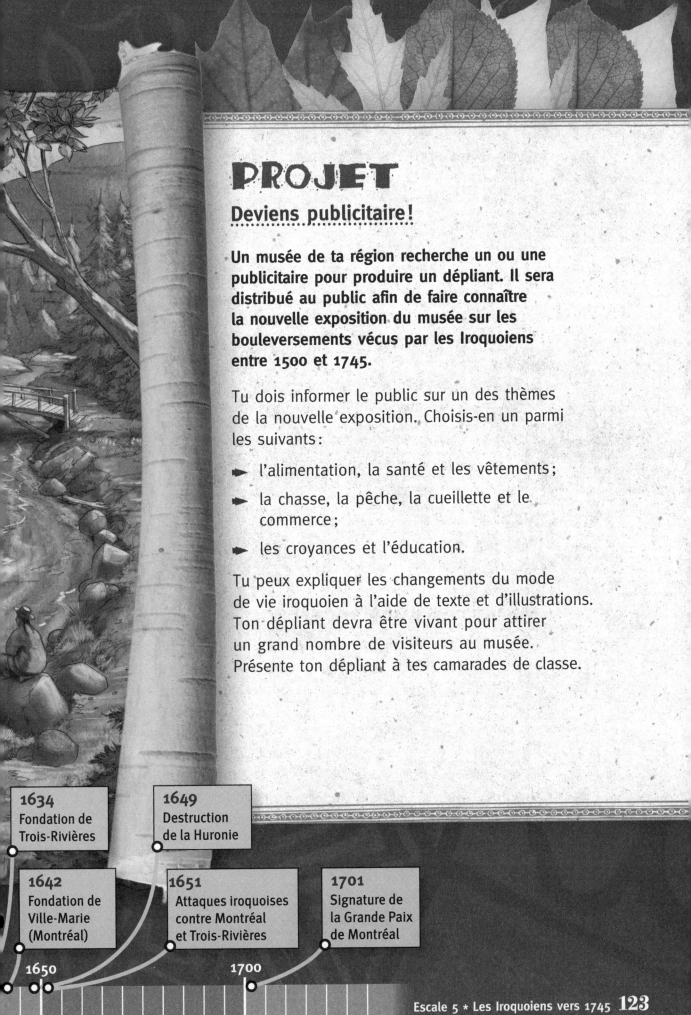

PROJET

Deviens publicitaire!

Un musée de ta région recherche un ou une publicitaire pour produire un dépliant. Il sera distribué au public afin de faire connaître la nouvelle exposition du musée sur les bouleversements vécus par les Iroquoiens entre 1500 et 1745.

Tu dois informer le public sur un des thèmes de la nouvelle exposition. Choisis-en un parmi les suivants:

➤ l'alimentation, la santé et les vêtements;

➤ la chasse, la pêche, la cueillette et le commerce;

➤ les croyances et l'éducation.

Tu peux expliquer les changements du mode de vie iroquoien à l'aide de texte et d'illustrations. Ton dépliant devra être vivant pour attirer un grand nombre de visiteurs au musée. Présente ton dépliant à tes camarades de classe.

1634
Fondation de
Trois-Rivières

1649
Destruction
de la Huronie

1642
Fondation de
Ville-Marie
(Montréal)

1651
Attaques iroquoises
contre Montréal
et Trois-Rivières

1701
Signature de
la Grande Paix
de Montréal

1650

1700

Les changements marquants

Quels sont les changements survenus dans la société iroquoienne entre 1500 et 1745 ?

PRÉPARATION 1 Depuis ta naissance, tu as beaucoup changé. Tu as appris à marcher, à parler et à écrire. Si tu pratiques un sport ou que tu joues d'un instrument de musique, tu fais des progrès chaque jour. Sur la ligne du temps suivante :

> Observe les faits marquants de la période de 1500 à 1745 sur la ligne du temps des pages 122 et 123.

a) trace des intervalles de temps réguliers ;

b) inscris les moments importants de ta vie au-dessus et au-dessous de la ligne du temps ;

c) relie-les à la ligne du temps par un trait.

RÉALISATION ## Les grandes explorations

Comme tu le sais, l'histoire des Iroquoiens est vieille de plusieurs milliers d'années. Elle ne commence pas avec l'arrivée des premiers **explorateurs**. Cependant, la vie des Amérindiens se transforme au contact des Européens. Les écrits et les dessins des explorateurs et des colons nous permettent d'affirmer que le mode de vie iroquoien s'est modifié au fil des ans.

Explorateur : personne qui découvre des régions inconnues.

Cartier plante une croix à Gaspé en juillet 1534

Des Français découvrent l'Amérique

De l'arrivée de Cartier à Gaspé à 1745, plusieurs changements sont survenus dans le mode de vie des Iroquoiens. Voyons ce qui est arrivé pour expliquer tous ces changements.

En 1534, Jacques Cartier est envoyé par le roi de France à la recherche d'une route commerciale vers la Chine. C'est ainsi que Cartier et ses hommes arrivent en Amérique. Là, ils rencontrent des Iroquoiens. Bien que Cartier ait pris possession du territoire au nom du roi de France, celui-ci ne s'intéressera à l'Amérique qu'au début du 17e siècle. Lors de son premier voyage, Jacques Cartier prend possession d'un territoire qui appartient déjà aux Iroquoiens et aux Algonquiens.

Le territoire iroquoien vers 1500

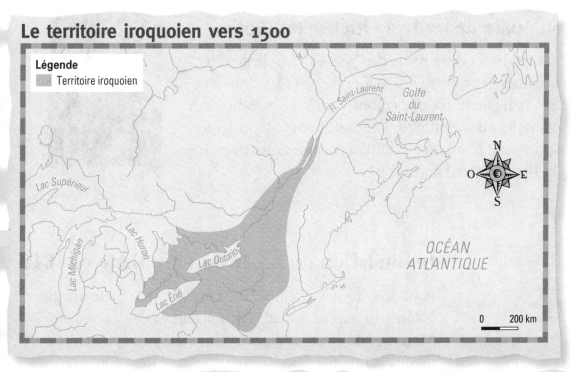

Le territoire iroquoien vers 1745

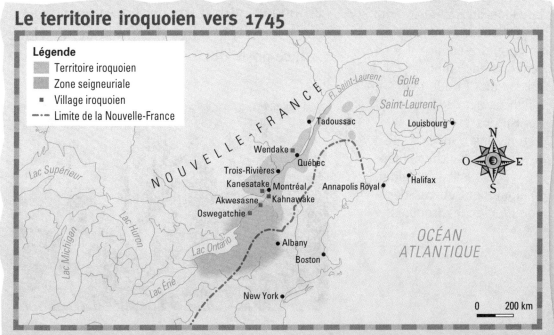

L'*Abitation* de Québec

La fondation des postes de traite

Les premiers Français qui s'établissent dans la vallée du Saint-Laurent sont d'abord intéressés par la **traite** des fourrures. En 1600, un premier poste de traite est mis en place à Tadoussac, là où se rencontrent le fleuve Saint-Laurent et la rivière Saguenay. Un poste de traite est un endroit où l'on retrouve des habitations et où les Amérindiens et les Blancs échangent leurs marchandises.

Un nouveau poste de traite à Québec en 1608

Samuel de Champlain fonde le poste de Québec afin de faciliter les échanges commerciaux entre les Algonquiens et les Français. Champlain veut également que des colons français s'y établissent de façon permanente pour pratiquer l'agriculture et élever leur famille. C'est pourquoi l'*Abitation* de Québec a été construite sur les rives du fleuve Saint-Laurent.

Traite : commerce.

Samuel de Champlain

Savais-tu ?

En 1603, Champlain effectue un voyage dans la vallée du Saint-Laurent. Il est l'un des premiers à comprendre comment les Amérindiens commercent entre eux. Il noue des alliances avec les Innus, les Hurons et les Algonquins pour la traite des fourrures. Champlain s'engage aussi à les aider militairement en cas de conflit avec les Iroquois.

La fondation du poste de Ville-Marie en 1642

Paul de Chomedey établit un nouveau poste sur une île le long du Saint-Laurent. Il est accompagné de Jeanne Mance et de quelques colons français. Leur objectif de départ est de fonder une communauté de colons français catholiques afin d'amener les Amérindiens de la région à se convertir à la religion catholique. Quelques années plus tard, ce poste devient Montréal.

L'Hôtel-Dieu de Montréal, un hôpital fondé par Jeanne Mance en 1645

2 Pour quelle raison le roi de France envoie-t-il Cartier en expédition?

....

3 D'après les cartes du territoire iroquoien de la page 125, nomme deux changements territoriaux survenus entre 1500 et 1745.

1) ....

2) ....

4 Complète les phrases suivantes.

a) Des Français s'établissent dans la vallée du

....

b) Le poste de traite de .... est fondé par les Français en 1600.

c) Un poste de traite est un endroit où l'on fait du ....

d) Le poste de Québec est fondé par ....

e) Champlain espère qu'un jour, Québec soit habitée par des colons pour y pratiquer l'.. .

f) Cartier prend possession d'un territoire déjà habité par les ....

Savais-tu?

À la suite d'alliances conclues avec les Hurons, les Innus et les Algonquins, Champlain et ses hommes participent à des guerres contre les Iroquois. À partir de 1609, plusieurs conflits armés marquent les relations entre les Français et leurs alliés et les Iroquois. Lors de la première bataille, le 30 juillet 1609, Champlain tire avec son arquebuse. Il crée tout un effet de surprise. Les Iroquois n'avaient jamais vu d'arme à feu. Affolés, ils tentent de riposter avec des flèches, mais sans succès. Ils se résignent donc à fuir.

5 Pour quelle raison le poste de Ville-Marie (Montréal) est-il fondé? Coche ta réponse.

a) Pour le commerce des fourrures. ☐

b) Pour des raisons religieuses. ☐

c) Pour fonder un village amérindien dans la vallée du Saint-Laurent. ☐

d) Pour développer de nouvelles activités économiques. ☐

Champlain participe à de nombreux conflits armés ●—○

Objets de traite, objets de fascination

Le développement du commerce des fourrures encourage le troc entre les Amérindiens et les Européens. En échange des peaux d'animaux, les Amérindiens obtiennent divers objets qui les fascinent. Ils raffolent des perles de verre. Ils aiment aussi les vêtements et les couvertures de laine. Par temps pluvieux, les vêtements de laine gardent mieux la chaleur du corps que les peaux et se déforment moins en séchant.

Vers 1500, les Amérindiens commercent entre eux. Ils s'échangent des produits et des wampums. Ce commerce leur permet d'entretenir de bonnes relations ou de faire la paix. Après l'arrivée des Européens, les conflits entre les nations iroquoiennes et algonquiennes vont s'aggraver.

Commerce entre nations vers 1500

La foire des fourrures à Montréal

Un Amérindien tenant une arme à feu

Chef iroquoien

Les marmites de cuivre des Européens sont plus résistantes à la chaleur et facilitent la préparation des repas. De plus, les Amérindiens prennent goût à certains aliments comme les biscuits, les raisins, le lard, le sel, le sucre et les épices. Bientôt, les Amérindiens délaissent leurs outils en os ou en pierre pour des haches et des couteaux de métal, plus résistants et plus efficaces. Comme ils se peignent le visage et le corps, ils apprécient les miroirs et les teintures aux couleurs vives. Les armes à feu deviennent également des objets convoités par les Amérindiens, remplaçant les arcs et les flèches.

Savais-tu ?

Le gouverneur de la Nouvelle-France, Louis-Hector de Callières, et 39 chefs amérindiens signent le traité de la Grande Paix de Montréal en août 1701. Par ce traité, les Français et les Amérindiens s'engagent à mettre fin à un siècle de combats meurtriers.

Les marmites de cuivre sont plus résistantes à la chaleur

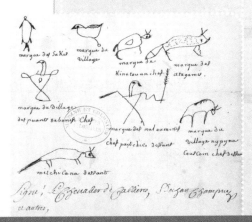

6 Pourquoi les Français participent-ils à des guerres contre les Iroquois ? Coche la bonne réponse.

a) Parce que les Iroquois sont des ennemis depuis toujours. ☐

b) Parce que Champlain a conclu des alliances avec les ennemis des Iroquois : les Hurons, les Innus et les Algonquins. ☐

c) Parce que c'est une demande du roi de France. ☐

7 Lors de la bataille de 1609, pourquoi les Iroquois s'enfuient-ils ? Coche la bonne réponse.

a) Parce que Champlain incendie leur village. ☐

b) Parce qu'il s'est mis à pleuvoir. ☐

c) Parce que Champlain utilise une arme à feu. ☐

8 a) Remplis le tableau suivant.

Vêtements iroquoiens	Description
1500	
1745	

b) Pour quelle raison les Iroquoiens choisissent-ils la laine pour confectionner leurs vêtements ?

....

....

9 a) Remplis le tableau suivant.

Marmites iroquoiennes	Description
1500	
1745	

b) Pour quelle raison les Iroquoiens recherchent-ils les marmites européennes ?

....

....

10 a) Remplis le tableau suivant.

Outils iroquoiens	Description
1500	....
1745	....

b) Pour quelle raison les Iroquoiens préfèrent-ils les outils européens?

....

INTÉGRATION

11 Les vignettes suivantes appartiennent à la société iroquoienne vers 1500 ou vers 1745. Relie chaque vignette à la bonne période.

a)
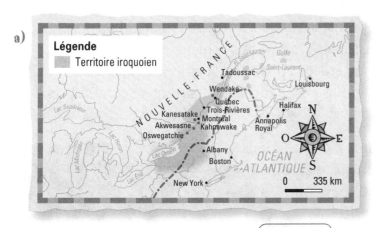

b)
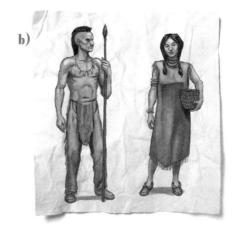

1500

1745

c)

d)

Un mode de vie bouleversé

Thème 2

Quelles sont les conséquences des changements survenus dans la société iroquoienne entre 1500 et 1745 ?

PRÉPARATION  **1** D'après tes connaissances des Iroquoiens, coche les phrases qui parlent du mode de vie des Iroquoiens vers 1745.

a) Ils vivent au rythme des saisons et se déplacent tous les 15 ans. ☐

b) Certains se construisent des maisons de pierre ou de bois. ☐

c) Ils délaissent la chasse pour faire le commerce des fourrures. ☐

RÉALISATION

Changement du rythme de vie

Au contact des Européens, le mode de vie des Amérindiens se transforme. Les **missionnaires** français veulent les convertir à la religion catholique et leur apprendre la langue française. Plusieurs Iroquoiens de la vallée du Saint-Laurent se convertissent au catholicisme.

À Québec, les Ursulines, des religieuses françaises, fondent une école pour les Amérindiennes. Cependant, les jeunes filles, habituées à vivre au grand air, s'adaptent mal à leur vie de **pensionnaires**.

Les missionnaires français sont étonnés et choqués de constater la grande liberté que les Iroquoiens accordent à leurs enfants. Vers 1500, les garçons et les filles iroquoiens accompagnent leurs parents dans les activités quotidiennes.

Missionnaire : religieuse ou religieux en charge de transmettre la religion catholique aux Amérindiens.

Pensionnaire : élève qui loge et mange dans son école.

Femme iroquoienne ●──○ faisant de la poterie avec sa fille vers 1500

Un missionnaire jésuite enseigne la religion à des Amérindiens

Des religieuses et leurs élèves amérindiennes

Savais-tu ?

Kateri Tekakwitha

Née en 1656, Kateri est la fille d'un Iroquois et d'une Algonquienne catholique. Quatre ans après sa naissance, ses parents et son jeune frère meurent de la variole. Elle survit à cette maladie, mais sa vue est affaiblie. Comme Kateri ne peut supporter la lumière du jour, on la surnomme Tekakwitha, « celle qui avance en tâtonnant ». Durant sa jeunesse, elle s'instruit et découvre la religion catholique auprès des missionnaires. À l'âge de vingt ans, elle reçoit le baptême. Jusqu'à sa mort, elle parle de sa nouvelle religion aux Amérindiens de son entourage.

Les « domiciliés »

Converti :
qui a changé
de religion.

Peu à peu, les Hurons, une nation iroquoienne, délaissent leurs maisons longues en écorce pour habiter dans des « maisons canadiennes ». Ces habitations, plus petites, ne peuvent pas abriter les grandes familles iroquoiennes.

Vers 1500, l'organisation familiale des Iroquoiens est matriarcale. Ils habitent avec plusieurs familles qui ont la même ancêtre maternelle.

Village iroquoien vers 1500

Les villages d'Amérindiens domiciliés vers 1750

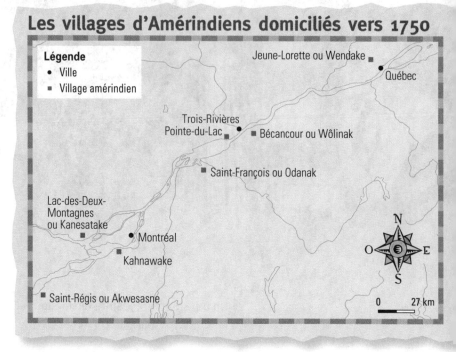

Légende
- Ville
- Village amérindien

Jeune-Lorette ou Wendake

Québec

Trois-Rivières
Pointe-du-Lac

Bécancour ou Wôlinak

Saint-François ou Odanak

Lac-des-Deux-Montagnes ou Kanesatake

Montréal

Kahnawake

Saint-Régis ou Akwesasne

0   27 km

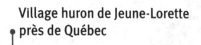

Village huron de Jeune-Lorette près de Québec

La vie familiale est donc bouleversée. Certaines communautés de Hurons et d'Iroquois **converties** à la religion catholique s'installent dans des villages près de la vallée du Saint-Laurent. Ces communautés sont appelées « domiciliées » parce que leur village se trouve près de ceux des Français. Les Amérindiens de ces villages pratiquent l'agriculture et élèvent des animaux de ferme. Les Iroquoiens conservent tout de même certaines activités de subsistance. Par exemple, ils quittent leur village pour chasser et pêcher.

2 Complète les phrases suivantes à l'aide de la banque de mots.

- **missionnaires** • **jeunes filles** • **Ursulines** • **vie** • **Québec**
- **Amérindiens** • **catholique** • **changement** • **langue**

a) Les .... vont à la rencontre des ....

pour les convertir à la religion .... et pour leur apprendre

la .... française.

b) Pour instruire les jeunes filles amérindiennes, les ....

de .... fondent une école.

c) Les religieuses poursuivent les mêmes objectifs que les missionnaires.

Le .... de rythme de vie est si grand que les

.... s'adaptent mal à leur nouvelle ....

3 Que signifie l'expression «Amérindiens domiciliés»?

....

....

4 Coche les phrases qui représentent des éléments nouveaux du mode de vie des Hurons vers 1745.

a) Ils pratiquent l'agriculture. ☐

b) Ils vivent en petits groupes. ☐

c) Ils élèvent des animaux de la ferme. ☐

d) Ils habitent des maisons de pierre ou de bois. ☐

e) Les maisons sont si grandes qu'ils vivent avec la famille élargie. ☐

f) Les enfants fréquentent l'école du village, qui est sous la responsabilité des religieuses. ☐

g) Les Amérindiens quittent le village pour chasser et pêcher. ☐

h) Ils reçoivent le baptême. ☐

Maison canadienne vers 1745

Des épidémies ravageuses

Depuis l'arrivée des Européens, la population amérindienne a diminué énormément. Les marchands transmettent plusieurs maladies aux Amérindiens. Comme ils n'ont pas d'**anticorps** pour combattre ces nouveaux virus, les Amérindiens meurent de maladies comme la variole, la grippe ou la rougeole. Le père Vimont, un missionnaire, a observé la situation : « Dans certains villages, on comptait une centaine d'habitations en écorce, maintenant, j'en vois seulement cinq ou six. Souvent, sur l'eau, on voyait circuler de 300 à 400 canots ; maintenant, seulement de 20 à 30 embarcations y naviguent. »

Les missionnaires explorent le territoire avec les Amérindiens

La population iroquoienne de la vallée du Saint-Laurent

1500	1745
100 000 habitants	10 000 habitants

Jeanne Mance accueille les Amérindiens et les Français à l'Hôtel-Dieu de Montréal pour les soigner

La médecine traditionnelle est impuissante

Les chamans et les guérisseurs amérindiens ne savent plus comment traiter les maladies nouvelles. Les plantes médicinales ne peuvent en venir à bout. Une chose est certaine pour les Amérindiens : il existe un lien entre ces maladies et la présence des Européens. Les Amérindiens commencent à perdre confiance envers les chamans. Plusieurs se rendent dans les hôpitaux français, comme celui de l'Hôtel-Dieu de Montréal.

La confédération huronne n'est plus

La présence des missionnaires français en Huronie divise la population. Plusieurs de ses membres tenaient à leurs croyances ancestrales. Par ailleurs, les Hurons sont durement touchés par les maladies contagieuses. De 21 000 membres vers 1500, la communauté huronne passe à 500. Ces quelques Hurons se réfugient à Québec en 1651.

Anticorps : substance défensive fabriquée par le corps humain pour lutter contre les maladies.

5 Complète les phrases suivantes à l'aide de la banque de mots.

- **virus**   • **variole**   • **amérindienne**   • **maladies**
- **anticorps**   • **grippe**   • **Européens**

Les .... comme la ...., la ....

et la rougeole expliquent la diminution de la population ....

après l'arrivée des .... Les Amérindiens n'ont pas les

.... nécessaires pour combattre ces ....

6 Voici un texte du père Vimont, un missionnaire jésuite :

> « Dans certains villages, on comptait une centaine d'habitations en écorce, maintenant, j'en vois seulement cinq ou six. Souvent, sur l'eau, on voyait circuler de 300 à 400 canots ; maintenant, seulement de 20 à 30 embarcations y naviguent. »

Surligne les passages qui montrent la diminution du nombre d'Iroquoiens dans la vallée du Saint-Laurent.

page 12

7 **a)** Quelle est la population huronne en :

- 1500 ? ....

- 1651 ? ....

b) Dans le diagramme ci-contre, dessine les bandes correspondant au nombre de Hurons.

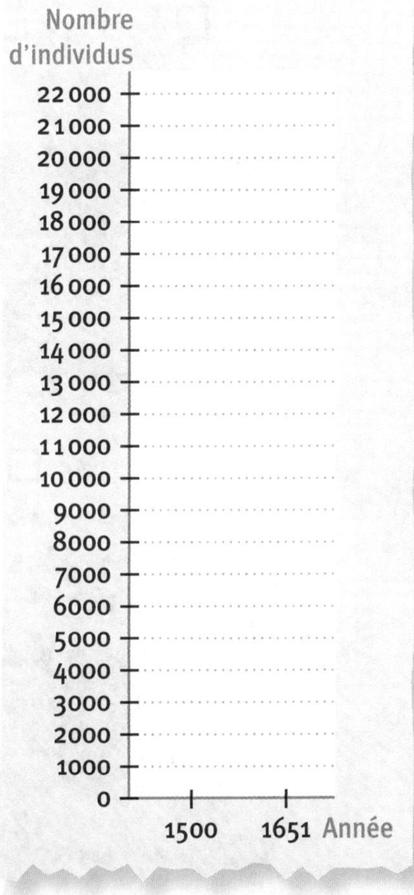

INTÉGRATION

8 Même aujourd'hui, la science demeure impuissante devant certaines maladies. Pourquoi les Iroquoiens perdent-ils confiance en leurs chamans ?

....

....

....

La population huronne

Nombre
d'individus

22 000
21 000
20 000
19 000
18 000
17 000
16 000
15 000
14 000
13 000
12 000
11 000
10 000
9000
8000
7000
6000
5000
4000
3000
2000
1000
0

1500   1651 Année

TRACES

Ces illustrations portent sur la vie des Iroquoiens vers 1500 ou vers 1745.

1 Indique à quelle période appartient chaque illustration. Réponds par un crochet.

2 Encercle un élément de l'illustration qui justifie ton choix.

a) 1500 ☐   1745 ☐

b) 1500 ☐   1745 ☐

c) 1500 ☐   1745 ☐

d) 1500 ☐   1745 ☐

e) 1500 ☐   1745 ☐

f) 1500 ☐   1745 ☐

CRÉDITS PHOTOGRAPHIQUES

H Haut   **B** Bas   **G** Gauche   **M** Milieu   **D** Droite

Couverture, 82 © Collection du Musée canadien des civilisations, constructeur principal : Cesar Newashish, Manouane (QC). 1971, MCC III-P-21, image no S96-24213 **3** © Artville ; © 2011, Shutterstock Images LLC 2481893 **9** © NASA **13** © 2011, Shutterstock Images LLC **MD** 51206992 ; **BD** 990890 ; **BM** 40064353 **15** © 2011 Photos.com, a division of Getty Images **HG** 92840394 ; **MD** 92849712 ; **HD** © Ville de Montréal - Air Imex Ltée ; **MG** Megapresse.ca **17** © 2011 Photos. com, a division of Getty Images **HG** 105704565 ; **HM** 108587657 ; **HD** 87577422 ; © 2011, Shutterstock Images LLC **BD** 3104484 ; **BM** 7279078 **20** © BAC/C-01078 **24** © 2011, Shutterstock Images LLC 9192766 **25** © 2011, Shutterstock Images LLC **G** 63110236 ; **GM** 16033726 ; **M** 54697552 ; **M** 59453407 ; **MD** 12427666 ; **D** 5767453 **30** © Werner Forman/CORBIS/WF003577 **31** © BAC/C-016336 ; © Musée de la civilisation. *Crosse. Iroquois.* 65-405 **42, 49** © BAC/C-113066 **43** © Musée de la civilisation. Louis Awashish. *Flèche à gros gibiers. Atikamekw nehirowisiwok.* 74-546 **45** © Musée McCord. Montréal. ME982X_484-P1 **51, 56 BD** © Artville **52 H** © 2011, Shutterstock Images 56590165 **53 H, 55 BG, 83 MD, 110 G** © 2011. Musée du Quai Branly/photo Ch.Lemzaoud/Scala, Florence ; **53 B** © 2011, Shutterstock Images LLC 6823330 **55 HM, 83 MD, 88 G, 110 D** © LRMM, photo: Luc Bouvrette **55 BM** © Musée de la civilisation. *Osselets.* 93-1638 **55 BD, 56 BM, 110 M** © Assiniboine Tipis **55 G** © Artville **57** © 2011, Shutterstock Images LLC 62691925 **61** © 2011, Shutterstock Images **BD** LLC 42913765 ; **BG** 17654449 ; **MD** 57795973 ; **MG** 53897956 **64, 82** © 2011, Shutterstock Images LLC 10096681 ; 45993163 **65** © 2011 Photos.com, a division de Getty Images. **H** 97481168 ; **B** 98230687 **74** © Musée de la civilisation. Collection Coverdale *Hache de pierre.* Nord est. 68-3307 **75** © 2011, Shutterstock Images LLC **G** 26624209 ; **D** 22632022 **79 G** © Jardin botanique de Montréal, Réjean Martel ; **D** © 2011, Shutterstock Images LLC 12294085 **80** © Claude Streicher **81** © Musée McCord. Montréal. M10975-b **83 MG, 87 MB** © Jean-François COLOMBEL **83 G, 87 H,**

88 D © Chichester, Inc. **84 G, 90 MG** © LUNDS Auction & Appraisal Specialists **85** © Musée McCord. Montréal. no ME940_1_1_1-2-P1 **89** © 2011, Shutterstock Images LLC **G** 60364654 ; **GM** 26737192 ; **MD** 19686592 ; **BD** 482573 **89 D** © Daniel Marleau **90** © 2011 Photos. com, a division of Getty Images. **G** 91615270 ; **D** © Musée McCord. Montréal. no M5919.1-2 ; **M** © Musée McCord. Montréal. no M14795-P1 **91** © 2011, Shutterstock Images LLC **HG** 26867872 ; **HM** 6909310 ; **BG** 1957093 ; **BD** 2748001 **96** © 2011 Photos.com, a division of Getty Images. **B** 106388669 ; © 2011, Shutterstock Images LLC **M** 6023818 ; **H** 65517496 **99** © 2011 Photos.com, a division of Getty Images. **G** 106557945 ; **MD** 96817315 ; **D** 106388669 **99** © 2011, Shutterstock Images LLC **GM** 65517496 ; **MD** 3034405 ; **BD** 43559686 **100** © 2011, Shutterstock Images LLC 57898126 **107 G** © 2011, Shutterstock Images LLC 23201992 ; **B** © Mireille Vautier/Alamy **111** © 2011, Shutterstock Images LLC 66120523 **113 G** © iStockphoto ; **D** © Nicolas Delerue **115, 116** © 2011, Shutterstock Images LLC 97774909 **118** © 2011, Shutterstock Images LLC **B** 97774909 ; **H** 87464036 **119 H** © Photodisc ; © 2011, Shutterstock Images LLC **MH** 49777093 ; **MB** 5330344 ; **B** © The Gallery Collection/Corbis **121** © 2011, Shutterstock Images LLC **BG** 97774909 ; **BG** 87464036 ; **BM** © McCord. Montréal. M984_102_1-2-P1 **124** © BAC/C-011050 **126 H** © Musée de la civilisation. Collection du Séminaire de Québec, *Champlain's Habitation. William Harvey Sadd. Non daté.* Reproduction d'une peinture.1993.15886 ; **M** © BAC/C-006643 ; **B** © BAC/C-010668 **127** © BAC/e010774132-v8 **128** © BAC/C-011013 **129 HD, 131 BG** © BAC/C-013470 **129 HG** © BAC/no 1977-35-2 ; **BG** © iStockphoto ; **BD** © Centre des Archives d'outre-mer, Aix-en-Provence, Archives nationales de France, FR ANOM, C11A19 FOL. 41-44 **133 H** Photo © Loci B. Lenar ; **M** Domaine public ; **B** © BAC/C-010520 **134** © BAC/C-011010 **136 H** © BAC/C-008486 ; **M** © Collection des Religieuses Hospitalières de Saint-Joseph de Montréal, James McIsaac.

Glossaire

Adobe: brique d'argile séchée au soleil.

Affluent: cours d'eau qui se jette dans un autre.

Alêne: poinçon pour percer des trous dans le cuir.

Alliance: accord conclu entre des personnes, qui les engage à s'aider mutuellement.

Altitude: hauteur par rapport au sol ou par rapport au niveau de la mer.

Amulette: petit objet que l'on porte sur soi et auquel on attribue un pouvoir magique de protection.

Ancêtre: personne dont on descend.

Antérieur: qui arrive avant.

Anticorps: substance défensive fabriquée par le corps humain pour lutter contre les maladies.

Appât: nourriture qui sert à attirer les animaux pour les capturer.

Artefact: objet fabriqué ou utilisé par un être humain.

Atlas: livre qui regroupe une grande variété de cartes.

Babiche: cuir dont on enlève le poil en le trempant dans l'eau. Il est ensuite étiré et coupé en fines et longues lanières.

Canalisation: conduit qui distribue l'eau.

Caractéristique: trait important qui différencie.

Chaume: paille qui recouvre le toit d'une habitation.

Chronologique: classé selon les dates.

Clairière: endroit sans arbres dans une forêt.

Coca: arbrisseau dont les feuilles mâchées agissent comme un stimulant pour lutter contre la faim, la fatigue ou la douleur.

Collatéral: à côté.

Collet: nœud coulant fait de fibres végétales.

Colline: élévation de terrain de faible hauteur, de forme arrondie, aux pentes douces.

Comestible: qui se mange.

Converti: qui a changé de religion.

Cordillère: chaîne de montagnes.

Corporel: relatif au corps humain.

Coya: sœur et première épouse du Sapa Inca.

Débiter: découper en morceaux.

Décennie: période de dix ans.

Devin: personne qui prétend prédire l'avenir et découvrir les choses cachées.

Érosion: usure lente du relief par l'eau, le vent ou le gel.

Estival: d'été.

Explorateur: personne qui découvre des régions inconnues.

Fleuve: grand cours d'eau aux nombreux affluents, qui se jette dans l'océan.

Fumoir: gril de bois, sous un abri de peaux ou d'écorce, qui sert à exposer les poissons et la viande à la fumée.

Giboyeux: riche en gibier.

Golfe: bassin en cul-de-sac formé par l'avancée de l'océan.

Gorge: vallée étroite et très profonde.

Guanaco: lama sauvage.

Hémisphère: chacune des deux moitiés du globe terrestre, hémisphère nord et hémisphère sud.

Houe: pioche à large lame d'os ou de pierre servant à remuer la terre.

Idole: statuette représentant une divinité.

Irrigation: arrosage des terres.

Jambière: pièce de vêtement qui enveloppe et protège la jambe.

Jonc: plante à tige droite qui pousse dans les marais.

Lac: grande étendue d'eau à l'intérieur des terres.

Leurre: objet servant à attirer les poissons.

Liane: plante grimpante de la forêt tropicale.

Manier: conduire.

Millénaire: période de mille ans.

Missionnaire: religieuse ou religieux en charge de transmettre la religion catholique aux Amérindiens.

Momie: cadavre humain conservé par des techniques spéciales.

Montagne: grande élévation de terrain, de dimension importante et aux pentes raides.

Mortier: mélange de sable, d'eau et de chaux ou ciment qui sert à lier les pierres entre elles.

Nagane: mot d'origine algonquienne signifiant porte-bébé.

Nomade: qui se déplace souvent.

Orfèvre: fabricant d'objets en métaux précieux.

Pagne: morceau de peau d'animal noué à la taille et retombant sur les cuisses.

Parcelle: très petite partie.

Patriarcal: où l'autorité du père est plus importante.

Pensionnaire: élève qui loge et mange dans son école.

Plaine: étendue de terrain plat.

Plateau: terrain surélevé plat ou ondulé.

Râtelier: support de bois destiné au séchage de certains aliments.

Remblai: muret de neige pour isoler du vent et du froid.

Révolutionner: transformer complètement.

Rivière: cours d'eau de moyenne importance.

Ruisseau: petit cours d'eau.

Sacrifice: offrande à une divinité.

Sarbacane: tube servant à lancer de petits projectiles par la force du souffle.

Sarcler: enlever les mauvaises herbes.

Scalp: trophée constitué par la peau du crâne avec sa chevelure.

Sédentaire: qui habite longtemps au même endroit.

Siècle: période de cent ans.

Silex: pierre très dure et tranchante.

Souverain: chef qui exerce un pouvoir suprême sur son peuple.

Strict: qui doit être respecté.

Tisserand: ouvrier qui fabrique des tissus.

Toboggan: traîneau en bois recourbé à l'avant.

Touladi: poisson du Québec aussi appelé truite grise.

Tradition orale: ensemble des savoirs et des récits transmis par la parole, de génération en génération.

Traite: commerce.

Truelle: outil fait d'une lame en triangle et d'un manche.

Unanimité: accord complet entre les membres d'un groupe.

Vallée: espace allongé entre deux régions plus élevées, creusé par un cours d'eau.

Versant: côté d'une montagne.

Watap: fine racine d'épinette utilisée pour coudre l'écorce de bouleau.